JN092594

TO AN ERA
IN WHICH
PEOPLE CAN
CHOOSE THEIR
OWN UX AT
ANY GIVEN
TIME

AFTER DIGITAL SESSIONS

アフターデジタルセッションズ

最先端の33人が語る、世界標準のコンセンサス

L&UX 2021

We Design User Experience
for the Next Society

beBit
藤井 保文
Yasufumi Fujii
[監修]

TO
UNDERSTAND
THE WORLD
AFTER DX

日経FinTech
日経BP

目次

L&UX 2021

To an Era in Which People Can
Choose Their Own UX at Any Given Time

AFTER DIGITAL SESSIONS

序章

「より自由になる」ためのUX

本書は2021年5月17～28日にビービットがオンラインで開催した「L&UX2021」というイベントのセッションをまとめたものです。

私が所属するビービットは、書籍『アフターデジタル』シリーズや企業活動を通じ、一貫して以下を主張してきました。

- 「UX（ユーザーエクスペリエンス）とテクノロジーが作る未来は、今まで以上に皆が自分らしくなれる、自由で良い社会であるべき」
- 「体験価値・UXを重視しない、またはユーザーインサイトに根差していないデジタル対応やサービス作りを行うべきではない」

DX（デジタルトランスフォーメーション）の目的とは新しいUXの提供であるはずだと心の底から考えていますし、単にDXがうまくいくだけでなく、全ての企業がUXに注力するようになれば、より自由で生きやすく、便利かつ楽しい社会になるはずだと信じています。

しかし日本の現状として、どうしても手段が目的化しやすく、「デジタル化のためのデジタル対応」という非本質的なDXが横行しています。UXの重要性を叫んでも、「UI/UXって画面上の話でしょ？　使いやすいことは大事だよね」という、どこか人ごとのような答えが返ってきてしまいがちです。

このメッセージをどうしたらもっと根付かせられるだろうか、と考えた結果、「日本と世界のトップリーダーの口から直接語ってもらう」という方法を思い付きました。リーダーの方々と一緒に「UXとは経営課題であり、社会課題である」というコンセンサスを作ることを、L&UXの一番の目的としたわけです。

だんだんとこうしたコンセンサスが築かれてきたのを感じており、「DXのあるべき姿」や、定義、思想のような話は一定飽和して食傷気味になり、もっと実務的なノウハウ、例えばUXを中心とした経営や、サービス作りなどのノウハウ、現在の業務への応用が必要とされるフェーズに差し掛かっています。とはいえ、DXや変革の推進者の中にある共通認識というだけで、そうした理解が社会や企業内に十分広まっているわけではなく、意識や理解の差が生まれてしまっているのも事実です。そこで、誰か一人の意見や視点ではなく、世の中をけん引する海外と国内のリーダーによって「確かにこっちに向かっているのだ」というコンセンサスが得られる様子をお見せすることで、企業内での理解が得られ、推進者の揺ぎない自信を生むことができるのではないか、と考えました。

書籍『アフターデジタル』では、私が海外企業訪問やディスカッションを通じて得た金言を数多く引用していますが、これは世の中のニュースや記事などでは一切得られない、実際の変革者たちによる生の情報です。L&UX2021では、海外リーダー陣へのヒアリングだけでなく、日本の第一線で活躍されている方々との対談という形で配信することで、より大きな衝撃と腹落ちを、皆さんの目の当たりにしていただく、という形を作りました。結果として、自分ゴト化が進んで分かりやすくなり、学びが深められるようになっていればと思います。「ぜひこの方々の対談が見たい。それでこそ、今の社会の在りようや、本当に必要な考え方、哲学が見えてくるはず」と企画したのはいいものの、本当にそういった方々にご参加いただけて、かつ期待を超えたコンセンサスが生まれたように思っています。

■本書の位置づけとコンセンサスとは

本書では、対談のことを「セッション」と呼んでいます。いわゆる複数の音楽家が集まってジャムセッションをする意味でのセッションで、予定調和の対談ではなく、化学反応が起きるような合奏であることを意図しています。33人の議論は、14本のセッションによって構成されます。10本を先に録画し、残り4本はその10本のセッションに対する感想を議論する生放送のライブセッションという形を取りました。

この33人14本のセッションによるコンセンサスは、大きく4つ挙げられます。

- ビジネスにおける価値の源泉がUXに移行していること
- オンラインとオフラインの融合時代になっていることで、イノベーションの起こし方やリーダーの資質が大きく変化していること
- 体験価値を高めるためには、いかに縦割りの企業構造を打破し、ユーザーのためのベネフィットを優先できるかにかかっていること
- ビジョンもUXもイノベーションも、世の中にまずは打ち出し、ユーザーや市場からのフィードバックを受けて育てていくべきであること

これらは密接に関わり合っている上に、あらゆる登壇者が共通の発言をされています。

本書において完全に収録しているのは33人のうち21人分ですが、全ての議論の結果も随所に織り込まれています。中国登壇者がいるセッションは許諾の関係で、サマリーのみを掲載し

ています。さらに、掲載したセッションについて語り合うライブディスカッションでご参加いただいた8名のセッションは本編では取り扱っていないため、ここでエッセンスをまとめたいと思います。

宮田裕章[*1]さん、白坂成功[*2]さんのセッションでは、社会の仕組み作りをする際のビジョンとUXの関係性について語り合いました。行政や街づくりのプロジェクトで、様々な関係者がいる中でどのように「目指すべき価値」を決定するのか、というテーマにおいて、「バリューとはユーザーのフィードバックを受けて絶え間なく磨き、発展していくもの。データも絡めれば、サービスが利用されて貯まったデータで、さらに価値を大きく発展させることができる。具体的にどこを目指していくかは、むしろやりながら明確化し、対話の中で積み重ねていくものだと考えている」と話されていました。これは本書の3-1で語られる「ジョイントビジョン」の概念と直結しています。このセッションのみ無料公開[*3]されていますので、是非ご覧ください。

中馬和彦[*4]さん、宮澤秀右[*5]さんとのセッションでもこれに共鳴しました。「イノベーションの起こし方や認識が間違っているのではないか。日本の大企業は、完全に計画されたものが世に出てイノベーションを起こすと考えがち。そうではなく、あくまで『育てるもの』であって、先が分からない時代にいかに不完全なまま挑戦するか、そしていかに育てて大きくするか、と考えるべき」という意見がコンセンサスとして語られ、まさにUXをグロースさせるプロセスと重なります。こちらは特に本書3-3との共通性が濃いと言えるでしょう。とにかくトライアルを行い、クイックウィン、つまり小さな成功を積み重ねて、その成功が周囲に影響を与えていくというや

*1
慶應義塾大学医学部医療政策・管理学教室教授

*2
慶應義塾大学大学院システムデザイン・マネジメント研究科教授

*3
https://www.youtube.com/watch?v=5nOPDgbmU50

*4
KDDI株式会社事業創造本部ビジネスインキュベーション推進部長 / KDDI∞Labo長

*5
東急株式会社経営企画室 マーケティング・IT推進グループ　特命部長

り方は、日本の文化にも合っているのではないか、という議論がされました。

さらに竹村俊助[*6]さん、小宮山利恵子[*7]さんとのセッションでは、組織とサービスを強くするためのメッセージや発信の仕方が話題に上がりました。私も含めた登壇者3人とも共通して、世の中に打ち出したいメッセージがあるときには複数のメディアで展開し、そのメディアの特性に合わせたり、またはコンテンツに最適なメディアを選んだり、ということを意識的にやっていました。「想いや言葉を伝えるためには適切なメディア形式がある」「行動のコントロールが難しい今の世の中において人には自分の好きな消費形態があり、文章でいくら宣伝しても文字を読まない人は読まないため、様々な形式で世に出すことで結果としてたくさんの人に伝わる」と、その理由が語られました。

*6
株式会社WORDS代表取締役

*7
スタディサプリ教育AI研究所所長 / 東京学芸大学大学院准教授

最後の佐々木康裕[*8]さん、小野直紀[*9]さんとのセッションでは、D2Cブランドやインフルエンサーなど、個人の発信や事業が強い力を持つ中での大企業の在り方が語られました。従来型の大企業の意思決定プロセスはもはや全く時代に合わないものになっていることを前提に、ここで出てきたのは3つの方向性です。1つ目は、小さな想いがビジネス化する潮流を捉え、大企業自らも意思決定を早め、自分たちの企業から小さな想いがこもったビジネスをたくさん生むようにし、体験や人々の求心度合いを評価して大きくするものを決めていく方向。2つ目は世の中に生まれてくる「小さなビジネス」の種を育てたり支援したりするようなプラットフォーマーになる、という方向。3つ目はこうした小さなビジネスの種は他に任せ、資金体力も人材もあることを強みに、長い目で見ないと実現できないような、とにかく大きな社会課題の解決に振る方向です。いずれの

*8
株式会社Takram ディレクター / ビジネスデザイナー

*9
株式会社博報堂『広告』編集長

方法を取るのも企業の自由ですが、なんにせよ社人格としての想いや、社人格として世の中に投げかける価値観や問いかけが重視されるようになっており、その意味では3つ目のように、どのような社会課題に対峙するかを決めることが何より重要である、と語られます。

今回はこれら8人による4セッションは本文に含められませんでしたが、これらの言葉だけでも、『アフターデジタル』で示す世界を踏まえながら、おのおのがトライアンドエラーを実施した結果として言われていることがよく分かります。

■ 思想面と実践面の両方を2冊でカバー

アフターデジタル時代におけるUXの推進には2つの活動が必要だと思っています。皆の「見ている方向がそろう、共通認識ができる」というのが一つ、「何をやればいいのかがわかる」がもう一つです。L&UXでは両方の観点に示唆が得られるように語られていますが、どちらかといえば前者を強く意識しています。つまり、共通認識や、本当にそっちに行く、世の中が変わっていくんだという実感が得られることを目的にしています。

ただそれだけだと、実際に何をどうすればいいのか分からないという声が上がるでしょう。UXを勉強しようとなったときに、UXの本を探すと、画面のデザインやユーザビリティ、アプリ制作などの話になってしまって「思っていた内容と違う」と感じている方が結構いらっしゃるようです。

本書と同時刊行の『UXグロースモデル』という本ではアフターデジタルからの流れをくんだUXを実際にどのように作ればいいのか、実践的に解説しています。本書と補完関係にあり、思想面と実践面の両方をカバーできるようにしています。世界の激変する環境にキャッチアップしながら、それを日本で活用できるように方法論に落とし込むというのは、私たちがずっと取り続けている方法です。これら2冊が、皆さんの手元に置かれ、変革推進の一助になればと思います。

2022年以降もL&UXを通して、「人々の生活がより良く、楽しく、自由になること」を目的にしたビジネス作り・サービス作りをしていく仲間を増やすために、アフターデジタルに共感、賛同する様々なグローバルリーダーに集まっていただき、世界最先端のエクスペリエンスやイノベーション、思想を議論する場を作っていくつもりです。まずは本書にて、さらに進化し続けるアフターデジタル社会を推し進めるリーダーの視点にキャッチアップいただけたらと思います。

それでは、お楽しみください。

株式会社ビービット　藤井保文

L&UX 2021

To an Era in Which People Can
Choose Their Own UX at Any Given Time

AFTER DIGITAL SESSIONS

第1章

経営視点から見たＵＸ

1-1

企業変革とＵＸ志向ＤＸ

本セッションの狙い

L&UX2021では、「UXとはもはや経営課題であり、ユーザーインサイトに根付かないビジネスやDXは実を結ばない」ということを示したいと考えていました。経営層の人たちにそれを理解してもらわないと、会社としてUXを推進していくのは難しいからです。

私がコンサルティングをしている中でも経営層の方々とこうした議論をしているのですが、そういった方々が『アフターデジタル』と併せて読まれているのが2020年度のビジネス書大賞で特別賞（ビジネスリーダー部門）を受賞した『両利きの経営』*1です。「意外と共通点が多い」と、何人かの経営者に言われました。

*1
『両利きの経営』／東洋経済新報社、チャールズ・A・オライリー、マイケル・L・タッシュマン著、入山章栄監訳、渡部典子訳

『両利きの経営』では「知の探索」、すなわち自社の既存の認知の範囲を超えて、遠くに認知を広げていこうとする行為と「知の深化」、すなわち自社の持つ一定分野の知を継続して深掘りし、磨き込んでいく行為の両方を進めていかないといけないと説いているのですが、「共通点が多い」というのは「『アフターデジタル』は『両利きの経営』の探索側の話をしているよね」ということなんです。

経営層の方々と『アフターデジタル』との共通項として『両利きの経営』があるわけですから、『両利きの経営』で解説を書いている入山章栄さんと冨山和彦さんに出ていただくしかないな、と思いました。入山さんは早稲田大学大学院経営管理研究科（早稲田大学ビジネススクール）教授で経営学を専門にされています。なお「両利きの経営」「知の探索」「知の深化」という言葉は、いずれも入山さんが海外の経営学で使われていた学術用語を2012年に出版された著書で日本語に訳したのが始まりです。

冨山さんは産業再生機構で多くの会社の再生に携わった後、経営共創基盤（IGPI）を設立。同社はハンズオン型のコンサルティング会社として企業の経営戦略などを立案してきました。現在は、冨山さんグループ会長を務めています。

冨山さんは『コーポレート・トランスフォーメーション』*2という書籍で、日本が脱却せねばならない企業体質や企業文化を語られています。他のセッションでも明らかにされていきますが、DXの実現や、今の時代を生き抜く企業にとって、「いかに組織文化を時代や環境に合わせるか」はまさしく死活問題であると言えます。このお二人なら、今あるべき企業変革を、『アフターデジタル』の文脈ともブレずに議論していただけるだろうと考えました。好きなように話しても、一般の経営層の方々が勝手に『アフターデジタル』との共通点を見いだしてくださるくらいなので、お二人なら何の心配もなくお任せできるでしょう。

「アフターデジタル」というコンセプトを世に打ち出すビービットの代表取締役である遠藤直紀が、モデレーターとしてお二人の見据える日本の課題を伺いながら、企業変革、時代の潮流と、UXの重要性との符合を探りました。

*2
『コーポレート・トランスフォーメーション』／文芸春秋、冨山和彦著

企業変革とUX志向DX

冨山 和彦（IGPI）／入山 章栄（早稲田大学大学院）／遠藤 直紀（ビービット）

遠藤 直紀（Naoki Endo）
株式会社ビービット CEO

＊3
『世界標準の経営理論』／ダイヤモンド社、入山章栄著

入山 章栄（Akie Iriyama）
早稲田大学大学院経営管理研究科
早稲田大学ビジネススクール 教授

遠 藤：今回は2020年度のビジネス書大賞特別賞を受賞された『両利きの経営』のダブル解説者である経営共創基盤（IGPI）グループ会長の冨山さんと、早稲田大学ビジネススクールの教授である入山先生にお越しいただきました。冨山さんは『コーポレート・トランスフォーメーション』を、入山先生は『世界標準の経営理論』＊3を書かれていて、日本企業へのエールや課題感をお持ちだと思いますが。まずは最大の課題というか、お二人が最もパッションを感じるところを伺えますか。

入 山：日本のレガシー系大手企業には課題がたくさんありますが、最大のポイントはやはり経営者ですよね。時代に合わせて変えられる会社にはいい経営者がいるわけですが、その条件は**未来に対して自分なりのビジョンや目的意識を持ち、それに向かってはっきりと腹をくくって意思決定すること**だと思います。

　私は日本の大手企業の人事の方とつながりが多いのですが、彼らの悩みの一つは「経営者候補が育っていない」ことです。経営者の仕事は「決めること」、つまりほかのことは捨てて腹をくくって進めることにありますが、特に大企業では、若手や中堅が、上から降ってきた仕事をこなしているだけであり、腹をくくっての意思決定をした経験が乏しいので、いきなり50歳ぐらいで役員になってから決めてくださいと言われても、決められないですよね。

ビジネス知識はビジネススクールで学べますが、一番大事な「決めること」は座学では絶対できません。決められる人は結局、日ごろから決め続けている人。ベンチャーでは1日に2～3回はクリティカルな決定がなされているので、1年間で1000回は厳しい意思決定をしていることになります。これに対して大企業の若手や中堅はゼロ回なので、すごい差がついています。大企業の30代とスタートアップでは、正直相当差がついてきたのではないでしょうか。逆に言うと、これからこういう人たちが大企業に入って変えてくれる方がいいのではとすら思います。今課題としてあるのは「意思を持って決めること」ですね。

もう一つ言うと、冨山さんが『コーポレート・トランスフォーメーション』に書かれていて、私自身も本当に重要だと思っているのが「経路依存性」[*4]です。会社はいろいろな要素や理由から、時代に合わないからといってそのどこかだけを変えようとしても、他と絡み合っていて変えられない。それらを同時に変える必要がある点が重要です。

*4
過去の経緯や歴史によって決められた仕組みや出来事にしばられる現象のこと。

例えば日本企業ではダイバーシティがなかなか進みませんが、ダイバーシティのためには新卒一括採用や終身雇用をやめないといけません。多様な人と付き合うということはメンバーシップ型雇用をやめてジョブ型に変えなければいけないわけですから。さらに多様な人を取りたければ多様な評価方法、多様な働き方を許容する必要があり、全体を変えなければなりません。DXも同じで、DXには会社の根本的な変革が必要であり、デジタルはその手段でしかない。

コロナ禍になって危機感を持つ会社も増えているので、そこが変わってほしいと期待しています。

冨山 和彦
(Kazuhiko Toyama)
経営共創基盤（IGPI）グループ 会長

冨 山：日本の企業が社内にリーダーになれる人材がいないことに気付いたのは大きな進歩だよね。昔は「うちの会社は人材豊富です」などと言われることが多かったから。

基本的に日本企業の経営会議などの意思決定は全員一致型で、結局誰が決めたかよく分からない。裏返すと調和を重んじる意思決定。結局役員になって最後の10年間で意思決定に関わっても、部門調整や前会長、前々会長まで調整してしまうわけです。

今のようにDXが産業の大きな変容まで起こすような破壊性を持つときは、極端にドラスティックな意思決定をして、それを阻もうとする経路依存性に挑戦しなければならない。経路依存で飯を食っている人は不幸になるケースが多いので、どうしても反発を招いて大騒ぎになってしまいます。

経営にインパクトを及ぼす問題というのは、産業構造が変わってしまってビジネスが消えることなんです。iPhoneができてAndroid端末が出て、共通OSが出た瞬間にガラケーというビジネスモデルがなくなった。そうなると「iモード端末を一切作りません」っていう意志決定をするしかないが、できない間にAndroid勢とiOS勢に殲滅（せんめつ）されてしまう。すると関係者全員が不幸になってしまう。選別の意思決定ができないと致命傷になるので、とにかく本気で手を入れていかないとならないと思います。

今回のコロナ禍でIX（インダストリー・トランスフォーメーション）を起こすようなDXの範囲が間違いなく広がります。そうすると、もっとたくさんシビアな意思決定をしなければならなくなる。だから、あと10年、20年後には現在の日経平均株価の算出に使われている225社のうち半分ぐらいが、なくなってしまうんじゃないでしょうか。

入山：冨山さんが言う通りで、デジタルが入った瞬間に、完全な転換が起きていると思います。コロナ禍でさらにそれが進み、例えば製薬業など、多分この先一気に変革の流れが来るでしょうね。

最近、それに加えて流れが来るのではと考えているのがサービス業です。コロナ禍でZoomやMicrosoft Teamsなどのビデオ会議ツールが予想より早く普及したことで、間違いなく数年内にこれらの上に自動翻訳が載るはずです。

私のいる早稲田大学ビジネススクールの入山ゼミでは社会人の学生に英語の経営学の論文をたくさん読ませるのですが、この1年で急速に学生の理解度が高まりました。何のことはない、「DeepL」[*5]を使って翻訳して読んでいる学生が増えたからです。最近はGoogle Meet（Googleのビデオ会議ツール）にもそういう機能があるみたいですが、これからは我々と外国人の間でも、互いに母国語でコミュニケーションできる世界がほぼ確実に来ます。

日本のサービス業の生産性が低いと言われている最大の理由は、日本という小さな島国が日本語でプロテ

*5
ドイツのDeepL GmbHが開発した無償の機械翻訳サービス。Googleの翻訳サービスなどよりも精度が高いと言われている。https://www.deepl.com/ja/translator

クトされていることにあります。製造業はものがよければ世界で売れるが、サービスは言語障壁が大きいために守られていました。その壁が相当低くなることで、もう一段海外からの流入が来るだろうと見ています。

中でも最初に危機に陥るのは大学業界だと考えています。日本の大学は日本語で守られた究極のガラパゴス業界で、ハーバード大学やMIT（マサチューセッツ工科大学）などに日本語で入学できるようになったら絶対に負けますよ。だから僕は10数年以内に大学は半分になってしまうかもしれない、と思っています。

■企業を変えるためには意思決定人材が不可欠

遠 藤：リーダーシップを持って変えていかないと半分になるというのは、逆に言うとリーダーシップを持って変えていければ伸びしろがあるという理解でいいのでしょうか。

冨 山：そうですね。世界の人口が増えているからマーケットは大きくなっているわけで、結局デジタル武装した人に置き換わってきた歴史だから、デジタル武装できればいいということです。前の時代に出てきたイノベーターが次の時代の覇者になるが、それはさらにその次に出てきたイノベーターに、なぜかやられてしまう。これが「イノベーションのジレンマ」。これはイノベーションを起こした後に、当の本人がイノベーティブではなくなってしまうことを言っているわけですが、経営のやりようによっては新しいイノベーションの時代を受け流したりそれを力にしたりもできるよね。

今はデジタル空間でだいたい大きな破壊的イノベーション*6が起きるので、既存の経営者、既存の組織の経路依存性がどこまでサイバー空間型ビジネスに対応できるにかかっています。

日本の会社は「地上戦の時代の覇者」だから、地上戦の平面でアナログ型のハードウエアを大量生産・大量販売することに最も適応していて、終身雇用かつ一括雇用によって同質的なメンバーで改善・改良をやる、集団のオペレーションでモノを造るというのが向いていたわけです。銀行も証券会社も保険会社も商社もこれを助ける形だから、全体が同じモデルで強固な経路依存になっていた。学校教育までがそこに巻き込まれていると思います。

重要なポイントは、サイバー空間が無限の空間だということで、日本の会社は陸軍と海軍しか持たずに平面でずっと戦っている第一次大戦までの軍隊みたいなもの。そこに突然空軍が現れて、最近は宇宙軍まで現

*6
従来技術の延長線上にない新技術によるイノベーション。米国の経営学者クレイトン・クリステンセンが『イノベーションのジレンマ』で提唱した。

れ、殲滅されてしまった、というのがクロモノ家電などがデジタルでやられてきた歴史ですよね。

ポイントは2つ。1つは空軍力を自分で持つか、空軍力を持つ国（企業）と同盟すること。もう1つは、陸海空を連動運用する能力を経営者が持つこと。だけど経営者が二次元の平面認識能力しかないと連動運用できません。二次元はリアルなので具象的な思考力だけでなんとかなるが、空中は立体でかつ目標物がないから、抽象的普遍的に物事を考える能力がなければ駄目で、だいたい日本の経営者はそこがすごく弱いと思います。

入 山：今は大手の総合商社においても意思決定人材が減っていますよね。プラントなど大きな商材を扱うようになったため、40歳、50歳になっても意思決定の機会を得られない。その中で、伊藤忠などは比較的商材が小さく、20代から「切った張ったの意思決定」を結構やっているので、若手がまだ育つ素地があると思います。

遠 藤：ビジネスの規模が大きくなるとなかなか失敗できないので、若手に何かを決めさせることができなくなっている、ということになりますか。

冨 山：そうですね。だからうち（経営共創基盤）の場合は、コンサルティングする企業にハンズオンで参画したら、役職を持つので意思決定をするし、買収事案の場合は、その会社に送り込まれると意思決定しなければいけない。うちは若い人がピボットテーブル*7などを3〜4年勉強して、順調に進むとハンズオンで行くが、そのときはまだ最高意志決定者ではありません。ある程度ミドルマネジメント的な意志決定を行ってから、パートナー級か投資先の経営者として行き、そこで実際にトップとして意思決定に携わるという感じです。だからうちは社外取締役になることを奨励しています。

*7
表形式になった大量のデータを集計・分析するMicrosoft Excelの機能。

遠 藤：ミドルマネジメント層に意思決定しろと言っても、当然失敗することもありますよね。私が仮説として持っているのは、日本企業や日本人は減点を嫌う傾向があること。失敗して叩かれるなら普通は挑戦しない気がするのですが、例えば経営共創基盤でミドルマネジメントが挑戦して失敗したときはどうしていますか。

冨 山：ここは頭の整理が必要で、ケーパビリティと当面の成果は別に見なければいけないんです。例えばサッカーのJリーグのチームを率いて欧州チャンピオンズリーグ*8に出てボコボコに負けたとしても、そのときの負けっぷりが大事になります。レアル・マドリード*9相手に0対1ぐらいの試合に持ち込んだとしたら、負けは負けだけど頑張っていると評価されるよね。これに比べて例えばJリーグの中で優勝しました、成果が出ましたというのと、どちらを評価するのか。だいたい人事評価する人に自信がないと、成果を出してない人を上げられない。納得感だとか、周りがどう言うかなどを気にしてしまいます。

その人のケーパビリティが上がっていると思って、

*8
欧州サッカー連盟（UEFA）が主催する欧州のクラブチームの1位を決める選手権。

*9
スペインのマドリードを本拠地とするサッカークラブ。欧州チャンピオンズリーグやFIFAクラブワールドカップにおいて最多の優勝回数を誇る。

より高い役職に据えたときにそこで機能するかどうかが勝負であって、いくら成果が上がっていて納得感があっても、「ケーパビリティとしてどう見てもそこ止まりのレベル」という人を上げてしまったらそこで詰んでしまいます。成果に対しては、その年のボーナスを上げればいい。この整理の必要性をいつも言っているんだけど、なかなかみんな整理がつけられないポイントかな。

入 山：日本の企業が最初にやるべきことは評価制度を変えることだとずっと話しているのですが、未だに人事がExcelを使って能力や成果を5段階くらいで評価しているんです。成功・失敗の紋切型で評価される瞬間に人間は失敗が怖くなるので絶対に守りに入る。だから評価制度はまさにアウトプットとケーパビリティに分ける、あるいは、もっと定性的に見ていく必要がある。

例えばSAP[*10]の方から聞いた話ですが、同社なども導入している上司と部下の1on1面談は、当初はうまくいかなかったそうです。そこで同社は、会話を録音してテキスト化して解析したところ、8割方上司がしゃべっていることが分かったそうなんです。

1on1では部下が今どういうことを考えてどういうチャレンジをして失敗したかをしゃべってもらわないといけない。SAPも、その後研修を入れることでかなり向上してきていると聞きました。こういう形でグローバル企業は評価制度改革をどんどん進めています。

＊10
ドイツに本社を置く大手ソフトウエア企業。企業の基幹向けシステムで使われるERPでは世界一のシェアを持つ。

冨 山：みんな一種の保身で、「なんであんなやつを上にしたんだ」と言われるのを怖がるよね。自分のジャッジメントで責任を取って判断する根性がないから、表面上成果が出ている人を偉くしてしまいます。

　日本の会社は上層部の人事になるほどいいかげんになる傾向がある。というのは上に行けば行くほど意思決定の単位が大きくなり、時間軸は長くなる。そうすると今のその部門の業績はその人のおかげなのか、前任者か前々任者なのか分からなくなる。それは社長において一番顕著だと思います。例えば今業績がいい大会社は、5年ぐらい前にやったことの結果が今になって出ている。大きな会社だと、5年ぐらいはその人の成果ではないですが、日本の会社は誰の成果か分からないまま人が替わってしまうことが多い。評価の問題は根が深くて、結局短期的評価になってしまいます。

　それを四半期決算という仕組みのせいにする人が多いのですが、それはウソで、評価も意思決定なんだから、それを変える自信がないだけなんです。

■改善・改良を行う集団オペレーションが日本企業の利点

遠 藤：一方で日本社会や日本企業、日本の組織の良さも本当はあるのではないかと思うんですが、そういう側面は感じられますか。

冨 山：それはもちろん。例えば地上戦が得意な点です。陸軍型の大集団でのオペレーションをコツコツと延々とやり、改善・改良していくのは世界最強だと思います。

入山：今は地上戦（アナログ）と空中戦（デジタル）が分かれていますが、もしうまく組み合わせられたら結構可能性があるかもしれないですよね。結局デジタル競争の第1回戦はひたすらスマホやパソコンを通じたネットの中の戦いなので、面倒な物理的なアセットはほとんどないし、モノもない。ホワイトスペースだったので、GAFA*11が一気に取れたわけです。

そこでは日本は負けましたが、これからの第2回戦はIoT*12の時代で、ありとあらゆる「モノ」、あるいは「ヒト」、もしかしたら動物にもネットが付きます。そうなるとモノや、人と人が触れ合うサービスそのものがよくないといけません。そこは地上戦なので、結構日本が強い分野だと思います。

世界の製造業というと中国も最近はすごいが、いまだに日本とドイツが強く、だからこそドイツはそこを狙っています。日本でもそういうことが分かっている会社は出てきていますよね。例えばDMG森精機*13やコマツ*14、ミスミ*15など、比較的地上戦の力をうまく使いながら、自分たちでデジタル人材をちゃんと育てて、空中戦も含めて勝とうとしています。

*11
米国の巨大IT企業Google、Amazon.com、Facebook、Appleの頭文字を取ったもの。Microsoftを入れて「GAFAM」と書かれることもある。

*12
Internet of Thingsの略で「モノのインターネット」とも呼ばれる。様々なモノがネットワークでつながって情報が送られること。

*13
工作機械の大手企業。

*14
建設機械の大手企業。シェアは日本で1位、世界で2位。

*15
機械加工製品などを取り扱う大手企業。

冨山：ずっと批判的なことを言ってきたけど、人事体系で言うと同質的なメンバーで改善・改良をする集団オペレーションというのは地上戦には向いています。全部を変える必要はないから、そういう部分は残せばいいと思います。

だけど空中戦の世界は、パイロットがほとんどの意思決定を自らエッジで行うから、サッカーに近い。一方、地上戦は野球に近い。インターバルがあって毎回ベンチからサインが出て、キャッチャーは1球1球あぁだこうだとやっている。ヒエラルキーがあって規律正しくやることが戦力を発揮するタイプの戦い方なので、そこには地上のやり方をすればいいし、空軍の世界にはサッカーの評価的な尺度を適用すればいい。

GAFAなど米国勢ではAppleとAmazonは地上戦もできるので要警戒だが、大半はUberのように空軍オンリーです。空中戦はデジタルでレバレッジがかかるから、天才が何人かいれば作れちゃいますが、豊田章男さん*16が「40年の蓄積がある」とよく言うように、地上戦の方が組織能力を手に入れるのにも、それを経営するノウハウを磨き上げるのにもやっぱり時間がかかります。

空中戦の人たちは40年かけたくないから、地上戦力を持っているところを買収にかかるでしょう。逆にこっちは同じように空中戦ができるところを買収できる。例えばソニーは日本で数少ないB2Cで両方を持っ

*16
トヨタ自動車代表取締役執行役員社長兼CEO。

ている会社ですよね。

私は日本的経営を全否定はしていませんが、地上戦力だけでは本当に制空権が取られてしまって殲滅されてしまうことを危惧していて、これからは両方ともやっていかなければならないと思います。

入山：最近、Amazon.comの無人スーパー「Amazon Go」の精度がすごく上がってきていると聞きました。上のカメラとトレーに載せた重さでお客さんが何を買ったか分かる仕組みなんですがが、最近は画像認識だけでトレーが要らなくなっているそうです。その精度がとても高くなってプラットフォーム化されると、既存のスーパーマーケットのデジタルのコアの部分をAmazonが全部制覇してしまう可能性が出てきますよね。日本の小売りの「陸」である丁寧なサービスは持てるが、「空」を完全に取られてしまうかもしれない危惧はあります。

冨山：日本は人が足りないとよく言うけど、実はそれも日本社会にとっては悪いことではないよね。今は企業の議論をしているが、社会的に言うと生産性を上げることがGDPの上昇につながります。生産性とは付加価値を投入資源で割ったものであり、資源投入量が同じで生産性が倍になれば、付加価値生産の総計であるGDPは倍になります。Amazonが少なくとも日本で生産活動をやって生産性を上げて、そこで働いている人の賃金がちゃんと上がっていけば、それは日本のGDPにとっても日本人にとってもいいことなので必ずしも否定する必要はありません。

　大事なことは、この島国のこの領域の中で、どう生産活動を効率化するかであって、それを担うのは必ずしも日本企業である必要性はないんです。

■UXがコアバリューであり、「製販一体」は大きな強み

遠 藤：デジタル化といっても結構多義的でいろいろな角度があるので、1つの角度に絞ってお話をしてみたいです。例えばデジタル化ではスマートフォン（スマホ）がこれだけ普及し24時間365日みんなが傍らに置いて生きているのは相当大きな変化です。そこで何ができるようになったかというと、紙のマニュアルでは読まれたかどうか分からないが、デジタルなら分かるので、データを活用しながらサービスを改善していくことが可能になります。お客様にとっての体験価値を測れないと提供者論理の押し付けで終わるが、データを活用しながら改善していけるというのが一つの大きなインパクトとしてあると思うんですが、そこに着手している日本企業が多いかというと疑問が残ります。

冨 山：そこは現状では脆弱だと思うよ。正確に言うと、ハードウエアの生産現場の改良・改善は一生懸命やるが、UXをエンジンにした改良・改善は、彼らからするとまだ補足的というかサブセットに過ぎません。

　本来、マニュアルはそれを見ないと操作ができないときに見るわけで、マニュアルが見られているということは直感的に操作できないということだから、今は恥になります。若い人はスマホのマニュアルなんて読

まないですよね。

私も操作が分からなくて子供に電話して聞くと、直感的に答えが出てくるが、なんでそうなのかと聞くと「そういうものだ」と言われます。ここがネイティブとの差だが、**UXがナチュラルになっているかどうかの差がまさにここにあり、全商品の価値を表明している。実は製品が主ではなくて、UXがコアバリューになっているんですよね。**

ここにバリューの本質があると（消費者が）思ったら、それによって当然ブランドのリピート率が高くなり、またそこの商品を買うことにつながります。しかし、そこが明らかに日本の会社は遅れています。

遠 藤：トヨタ自動車の方に、なぜカイゼンをサービスやマーケティングのサイドに活用しないのかとヒアリングしたことがあるんですが、そちらの領域に関しては科学的に検証して回すという手法をあまり実施していないようでした。

入 山：日本の自動車産業の課題はメーカーとディーラーが分かれて独立していることですよね。お客さんの情報を一番持っているのが実はディーラーで、メーカーはそれを吸い上げられていない。

冨 山：そう。そこに問題があるんですよ。さらにディーラーの営業担当者がコロコロ変わるから、極論すればディーラーと個人の関係はAIにしてしまえばいいんです。結局この車にどんな履歴があったのか、どういうやり取りをしたかなど、営業が毎回引き継いでいるならAIでいい。AIが点検の案内を送ってきて、頼んだら誰かが取りにくればいい。その方がコストも安いし、そこにデータを介在させることでUXが良くなるから、また同じ車に乗り換えたくなります。そうなると顧客はUXにお金を払っていると言っても過言ではない。だからTeslaがあの領域では脅威になっています。

遠 藤：お客様からの評価を100点からマイナス100点まで測る「ネットプロモータースコア」という指標がありますが、世界中で90点を超えるブランドが3つだけあり、それがTeslaとAppleとPeloton*17です。特徴は全部自分たちで製造・販売から、使用体験のUXまで提供している点にあります。そうすると購買から利用までのデータを全部取れるので、製品から使用体験まで全てにおいて改善活動ができる。

*17
オンラインでフィットネス・サービスを提供する米企業。スクリーンが付いたエアロバイクやトレッドミルを販売し、サブスクリプションサービスを提供する。フィットネス動画や音楽などを配信するほか、ライブ中継でレッスンが受けられる。

冨 山：Teslaの株が高いのはEV（電気自動車）だからではなく、ソフトサービス価値とセットになった車の製造小売モデル、つまりAppleのようなモデルにあります。直接ユーザーインタフェースを持っていて、その中でUXを向上していくモデルになっているから株価が高い。いまだに日本人の評論家の大半が「あれは電動に特化しているから」などと言っているが、そこはどうでもいいところだよね。

入 山：今の製造小売モデルの話は本質的で、冨山さんのおっしゃる空中戦と地上戦の両方をちゃんと持っているから、それをくるくる回せるわけですね。

冨 山：あえて言えば、Teslaの弱点はフィジカルなフィールドサービス力です。これはまさに地上戦力の勝負だから。本気で既存の自動車メーカーが、ディーラー網はフィールドサービスをやる会社にして、カスタマーインターフェースやUXは全部メーカーがネット空間をベースにやると割り切れば、すごいことになります。自動車に関しては、Tesla型のモデルがそれを整備するのはすごく大変なんです。

　ただしそのときには、当然ディーラーの経路依存性の話になり、ディーラーとの関係性やディーラーの役割が大きく変わらないといけない。そういうのを腹くくってくる企業が出てきたら、それは脅威になるでしょう。

入 山：トヨタの豊田章男さんは危機意識がすごくあると思いますし、大胆な投資をしていて素晴らしいと思いますが、同社の課題は中間層にそれが十分に響いてないことだと感じます。先ほど冨山さんがおっしゃったように、会社全体を変えるときには、将来的にはトヨタ本体よりもディーラーやサプライヤーなどを切っていかないとならないことなのでしょうね。

冨 山：そのあたりは中堅自動車メーカーの方が比較的やりやすいかもしれないですね。

■GAFAに覇権を握られていないB2B領域は大きなチャンス

遠藤：次にUXの議論をしたいと思います。**UXには、ユーザーが引っかかる「フリクション」を、データを取りながら解消して快適にしていく「小さいUX」と、すべてのインタラクションを統合的に設計管理していく「大きいUX」がある**と思っています。1990年代からUXを掲げているAppleと、まったく意識せずに製品だけよければいいと考えている企業では相当な距離ができていますし、スマホを持つようになってユーザーとつながりやすくなっているので、よりインタラクションの頻度も増やせる中で、全体設計をどう練り直すのか、今まで提供してきた価値をどこに置くのかなどを再考しなければならない局面に来ています。

冨山：ビジネスモデルと価値訴求、バリュープロポジションがガラリと変わっているんだよね。

例えばNetflixはそこにおける感動や面白さなどの体験にユーザーがお金を払っています。それが価値の実体なんだけど、なんとなくまだ世の中はテレビがあって人間がいて、その間のインターフェースがUXだと思っていて、矮小化されています。

今、テレビは売れているけどメーカーは儲からない。それはユーザーがNetflixなどが提供するUXにお金を払ってしまうからです。テレビは売れているけど値段は全然上がらない。これから起きる大きな変動っていうのはそういうことで、UX自体がバリューになります。

遠 藤：そうすると、改善改良も重要ですが、その前にそもそもバリュープロポジションを見直すとか、全体設計をもう1回やり直したりしなければならなくなりますね。

冨 山：そう、**まさに業務改善型DXではなく、CX（コーポレートトランスフォーメーション）やIXになる。**「トランスフォーメーション」という言葉を多くの人が誤解していますが、あれは昆虫がイモムシからチョウになるような変態を表しているんです。ちょろっと変わるのはトランスフォーメーションではない。

　結局小さいUXも小さいDXもいつの間にかIXになってしまって、バリュープロポジションがガラリと変わってお客さんは違うところにお金を払う。例えばテレビは4Kテレビになってハードウエアの水準がすごく上がっているが、『鬼滅の刃』や『愛の不時着』を見るために高いお金を払うものの、テレビにはお金を払ってくれないから、すごく頑張っても全然報われない。ここに真剣に対峙しないとまずいところです。

入 山：日本では、そういう意味で比較的うまく行っている例が、コマツの「スマートコンストラクション」*18ですね。それまでのコマツはバラバラに価値提供していたが、全部つなげたら価値を出せると社長に提案したら即ゴーサインが出たそうです。

*18
スマートコンストラクションを実現するためのIoT基盤。

冨 山：その話は本質的だと思います。スマホができてサイバー空間が膨張して今の消費者にとってはサイバー空間がリアルになっていて、フィジカルはもうサブリアルになっている。

自動車産業はOEMがあってディーラー網などがある三角形の構造になっていますが、サイバー空間はむしろレイヤー構造です。「ミルフィーユ化」という表現が最近の私の「推し」ですが、ミルフィーユ化すると「UXレイヤー」がまさに価値レイヤーになり、その下にハードウエアが三角形のようにぶら下がることになってしまいます。

そうすると、その中で自分たちの会社はどこでビジネスをやるのかを明確に意識してやらないと、気がついたらUXレイヤーを誰かに取られて下請けにされてしまいます。それがまさしくテレビの歴史でした。真面目に本気でこのトランスフォーメーションに取り組まないと、本当に日本の会社はこれから滅んでいきます。

入 山：コマツの例で思うのは、GAFAにデータが取られていないところにはまだチャンスがあるということですね。コマツのLANDLOG（ランドログ）*19やスマートコンストラクションは、自分たちで建機を作っているからそこでデータを取れますし、UXレイヤーも取れてモノも作れるというところには、まだチャンスがあると思います。

*19
設計図面や現場の状況、建機、土砂などの情報を3次元データ化し、建設生産プロセスという顧客の「コト」をつないで最適化・見える化して課題解決を目指すサービス。従来の建機をIoTでつなげるためのキットなども提供する。

冨 山：B2Bは割と業種特性があるので、ユニバーサルなレイヤーが作りにくいというのもあります。外部性がマクロに働かないのでチャンスがある。割と丁寧に作り込まなければならないが、これも日本は得意なところです。

＊20
IoTやAIを使って保育業務の負担を軽減する「ルクミー」シリーズのサービスを手がけるスタートアップ。本社は東京・千代田。https://unifa-e.com/

入 山：私が面白いと思っているのが、保育園や託児所のDXを手がけているベンチャーのユニファ＊20です。カメラなどを置いて園児の動きなどが全部分かるだけでなく、親がスマホで逐次見られるようにしているんですが、親のUXは当然すごく上がるし、GAFAが取れないデータを蓄積できています。UX側と地上戦側があり、保育所の改善は先生がやるので、ミルフィーユのうまいところを取っているなと思っています。

■ベンチャーから経営者を引き抜くのも手

遠 藤：少し前にシリコンバレーで何がはやっているのかを聞いたら、猫も杓子（しゃくし）もグロースチームの話ばかりしているよ、とのことでした。グロースチームというのは、例えばGoogleの検索サービスの場合だと、どこにボトルネックがあるかを縦割り組織ではなくて海兵隊（マリーン）のような陸海空の実行戦闘能力を全部持っている100人くらいのチームを作り、全体をデータサイエンスしてボトルネックがあれば直すというのをやる組織です。ただ、こういうことをやっている日本企業はあまり聞いたことがありません。

冨 山：日本の企業は基本的に地上戦型組織というか正規陸軍型だからでしょうか。（『両利きの経営』の著者である）チャールズ・A・オライリーさんや野中郁次郎さんが言っているのは、むしろマリーン型の組織。いきなり全体を変えるのは大変で、まずどこを基点にするかがすごく難しいんです。いきなり全体を変えようとしても大変すぎて変わらないので、どこかに突破口を作らなければいけない。そのときに彼らが進めていたのが、そういうチームを持ってそこでとにかく小さく始めろというマリーンアプローチです。

それは僕もいいと思いますが、マリーンというのは全員がそれぞれ陸海空の能力を持っていて、当然チームとしてもすべての機能を持っています。すごく攻撃的で集中力がある部隊ですが、日本の会社の中でそういう素質のある人を集めるのは結構至難の技じゃないかな。だからもうちょっと遡って、もともとそういう人を集めておけということになります。

就職に強い人は一流大学の体育会系です。そこそこ頭が良くて上の人の言うことを聞き、チームオリエンテッド。それに対してマリーンをやっている人は強烈で、同じ目的に向かって突っ込むことに関して強い意志を持っている。でも最後は1人で戦うという前提だから、とてもセルフディペンデントなんだよね。その点はまったく日本的ではないのです。

入 山：日本で可能性があるとすれば、ベンチャー企業の経営者を引っこ抜いて、大手企業のマリーンになってもらうことだと思います。コマツでスマートコンストラクションを作った人はもともとベンチャーの社長で、コマツに買収されて引き上げられたそうです。

遠 藤：確かに、米国でもWalmartがJet.com*21を買収してDXを進めていますね。

*21
ネット通販サービス。2016年にWalmartに買収された。WalmartのEC事業成長に伴い2020年にサービスを終了。

入 山：これからはベンチャーのいいところを買って、トップや役員をやってくれとか、マリーンになってもらってぶっ壊してくれみたいなことがあり得ます。メガバンクなんて、マネーフォワード[*22]やfreee[*23]の社長などを引き入れてしまった方が早いんですよ。

*22
個人・法人向けにネットで金融サービスを提供する会社。本社は東京・港。https://corp.moneyforward.com/

*23
クラウドの会計ソフト「freee」などを提供する会社。本社は東京・品川。https://www.freee.co.jp/

冨山：確かに、フィンテックの社長などを入れて破壊的なことをやった方がいいかもしれないですね。それを今やれば十分チャンスはあるし、今なら間に合います。

入山：そこまで過激ではないのですが、マイルドにいわゆるアジャイルの仕組みでマリーンみたいなチームを作っているのがKDDIですね。話を聞いていると、やはりアメーバ経営や稲盛イズムを感じます。

冨山：KDDIの∞Labo（ムゲンラボ）[*24]はIGPIが手伝って事務局もやっていたけど、確かにああいうのを最初に手がけたのがKDDIでした。アメーバ経営は小集団である意味マリーンっぽいが、リクルートなどもややそれに近いかな。

人材がみんなマリーン的。そういう人間をどう生かせるかが共通の課題です。時間がかかるから、とにかく何らかの取り付く島から実験的ではなくて本気でやることだと思う。それでマリーンを作ったら、廃止せずに絶対にやり続けることですね。

失敗したら、それは失敗する理由があったということだから、経路依存性が必ずある。それを破壊しに行くとチェーンリアクションを起こしていく。チェーンリアクションが起きるからガバナンス改革をしろと

*24
KDDIが提供するインキュベーション・プログラム。スタートアップと連携して事業を共同で創り・支援する。https://www.kddi.com/open-innovation-program/mugenlabo/

言ってるんですが、それが起きるような小さな、小さいけどクリティカルな「蟻の一穴」になるようなことを積み重ねる。それを続けることでだんだんと連鎖反応を起こしていく。私の経験上、それを5年、10年続けるとだいぶ変わると思います。そうしたらきっと間に合うんじゃないかな。

セッションの見どころ

対談の中で冨山さんは「価値の源泉は、もう製品からUXに移行してしまっている。今の経営者はこれが分かっていないといけないんだ」と話されていました。あらゆる製造業は地上戦のロジックで動いているが、デジタルという空中戦が生まれて戦い方が変化したとき、戦いの中心が製品ではなくUXに変わってしまっている、と語られます。

冨山さんのような方がこのように考える時代なのだと思うと、本当に世の中が変化しているように感じます。実際、冨山さんが解説する西山圭太さんの書籍『DXの思考法 日本経済復活への最強戦略』*25でも、何度もUXの重要性が語られています。

対談ではこれを様々なメタファーで表現しています。例えば製造業のロジックとデジタル企業のロジックの違いでは、地上戦と空中戦のメタファーを使っています。

冨山さんは次のようなことを語っています。「DXといいながらIT化とあまり変わらず、違いが分かっていない。DXの本質とは、テクノロジーの発展によって産業構造が変化することであり、一社の話でも、業務効率の話でもないことがまず理解されていない。日本は地上戦の覇者であり、ハードを集団オペレーションで造ることが得意だったが、業界構造が空中戦優位、つまりデジタル優位になってしまった。今まで兵站を考えて地に足を付けて戦略を練っていたのに、飛行機が飛んできて爆弾を落とすことが当たり前の時代になった。空中戦は立体で座標もないため（最近は設定可能だが……）抽象的な思考力を要するが、地上戦のロジックに慣れている日本の大企業は空中戦的

*25
『DXの思考法 日本経済復活への最強戦略』／文芸春秋、西山圭太著、冨山和彦解説

な抽象思考に対応ができない」

「トランスフォーメーションとは幼虫がチョウになるくらいの大きな変化。なぜなら、今やデジタル空間が爆発的に増えて、デジタル空間にむしろリアルさを感じ、物理的な空間がむしろサブリアルになり始めている。製品中心時代は三角形のヒエラルキーでビジネスが成り立っていて、上部にメーカー、下部にOEMが来る構造だったが、今はその三角形よりも上に価値レイヤーが覆いかぶさり、それがUXである、という状態になっている。特に従来型の企業が変革をしない場合、気が付いたらその価値つまりUXを提供している企業がユーザーとの接点を全て奪い、自社は下請けに成り下がってしまうかもしれない」

■意思決定の訓練

こうした変革をするにも、経営や意思決定を行える人材が企業内に十分いるかというと、そういうわけではありません。これまで人材が豊富にいると思っていたはずが、急にデジタルによる社会変化の波にのまれ、これまで経験したことのない意思決定を迫られたり、新たな価値提供の仕方を求められたりします。こうした人材が十分にいるかというと、多くの大企業では従来のビジネスモデルでとにかく効率的に回すこと、そのロジックにおいて出世することが優先されたりするので、まったく違うゲームに挑戦できる人がいないという結果になりがちです。

IGPIでは、経営の訓練として他社の社外取締役になることが推奨されているそうです。他社においても、いかに役職を持たせて決意させるかは非常に重要で、特に短期でこれを簡単に経験させられるのが「採用・人事」であると言います。例えば成果は出せていないが挑戦をしており、考え方やプロセスが非常に良い人材がいたとして、こうした人間を評価する形になっていない場合はどうしても波風立たない方を選んでしまい、成果を残しているが文化にマッチしていなかったり挑戦していなかったりする人材を登用してしまう傾向にあります。ここも、自分が信じる人材を選べるかという意思決定の訓練であり、先を見据えた経営の訓練であると言えます。

業界が大きく変動するIXの時代、いかに新たな視点を持ち、変革を推進できる人材を創り出せるかが、企業の生き死にを中長期で決定づけることになります。

L&UX 2021

To an Era in Which People Can
Choose Their Own UX at Any Given Time

AFTER DIGITAL SESSIONS

1-2

UXとテックのこれから

ー人がより自由自在になるために

本セッションの狙い

1-1の狙いでも書きましたが、L&UX2021では「UXとはもはや経営課題であり、ユーザーインサイトに根付かないビジネスやDXは実を結ばない」ということを示したいと考えていました。その流れで、日本のプラットフォーマーの代表として出ていただいたのがZホールディングスの川邊健太郎さんです。

セッションの中でも言っているように、川邊さんとビービットのCEOである遠藤とは旧知の間柄です。インターネットバブルの全盛期だった2000年前後に遠藤が川邊さんの会社でアルバイトとして働いていたという縁なのですが、そのつながりだけでなく、インターネット業界を黎明期から盛り上げてきた二人でもあります。

ヤフーの親会社であるZホールディングスは、LINEとも統合していて、QRコード決済で1位になったPayPayも傘下です。他のセッションでは、海外のプラットフォーマー、例えば中国のTencentやインドネシアのGoJekに登壇いただいているので、日本からもプラットフォーマーに出ていただくとなったときにZホールディングスしかないと思いました。

さらに、川邊さんは日本IT団体連盟の会長も務めていて、最近だとデジタル庁の発足も踏まえ政策要望などを行っています。単純に自社がどう考えているかということだけでなく、社会の視点でも語れるし、インターネット業界全体の視点でも語れます。これらを総合的に考えて川邊さんには出演をどうしてもお願いしたかったのです。

UXとテックのこれから ―人がより自由自在になるために

川邊 健太郎（Zホールディングス）／遠藤 直紀（ビービット）／藤井 保文（ビービット）

藤井 保文（Yasufumi Fujii）
株式会社ビービット 執行役員 CCO/東アジア営業責任者

藤 井：お二人はインターネットバブルなどと言われた時代から経営をされてきて、まさにインターネットとともに20年近く歩まれてきていると思います。そんなお二人からは、今のDXの潮流はどのように見えているのでしょうか。何か感じている課題や違和感などがあれば、まず伺いたいと思います。

川邊 健太郎（Kentaro Kawabe）
Z ホールディングス Co-CEO / ヤフー CEO

川 邊：私は1995年に大学3年生でした。93年にブラウザーの「NCSA Mosaic」が出てきて、95年には「Internet Explorer」が出てきたことにすごいパッションを感じました。これを使って何かをやりたいと思って、夢中になってインターネットのサービスをずっと作り続けてきた25年間でした。

コロナ禍は世界にとって非常に不幸な出来事だったと思いますし、今もなおそれが続いていますが、その中で不幸中の幸いだったのは、ある程度デジタルが世の中に浸透していたことでしょう。もし、昔のスペイン風邪が流行した時代のようにインターネット環境や、その上のZoom、eコマース、YouTubeなどのサービスがなかったら、全然違った結果になっていると思います。

遠藤 直紀（Naoki Endo）
株式会社ビービット CEO

一方でもっとデジタルが社会に浸透して、例えば公共部門などが使いこなしていれば、減らせた不幸がいっぱいあったのではないかと思います。もっと日本全体にデジタルやインターネットの力が及んで、次の大きなアクシデントが起きた場合はさらにそのリスクを減らせる社会にしなければいけないという課題意識を持っています。

藤 井：私がコンサルティングで支援している中でも、今の話のように準備が間に合った企業と、逆に一切準備ができていなかった企業とで、結構大きな差が見えてしまった感触があります。

遠 藤：1998年当時に川邊さんと話していたときも、インターネットは世界を変えると、ものすごく盛り上がっていました。アフターインターネットとビフォーインターネットで世の中が大きく変わるし、急激に変わると思っていたんですが、想像よりは意外とゆっくりでしたね。

　大手企業が本気を出し始めたのは2010年ぐらいからで、それまではニッチというかあまり本流ではなかった。今も、まだまだ公共領域のデジタル化は進んでいない。また、「デジタル化できる」というのと、実際にデジタル化するかどうかは大きく違います。相当努力して自分たちに組み込まないと、企業にとっての価値に転換することは難しい。自社の業務を変えるためのデジタルと、お客様に価値提供するデジタルはまた違う話なので、後者を含めて練り込まないといけないので、簡単に「やればできる」という話ではないと思っています。

藤 井：約25年間、お二人はインターネットの可能性を信じてひたすら進んできたと思いますが、なぜこんなに時間がかかったのでしょうか。

川 邊：使っていたか、使っていなかったかがすごく重要な要素ですね。提供者として自責的な話をすると、使わなかった人たちでも使えるようなUIやUXを提供してこなかったことではないかと思います。今東京都の副知事になっている宮坂学さんは、ついこの間まで私の上司でしたが、宮坂さんになぜこんなに行政のオンライン化が進んでいないのかと聞いたことがあります。答えは「使われていないから。使う人をまず生まない限り進まない」とのことでした。本当に使っていなかったのだと思うし、提供者側としても使いづらさがあったのではないかと思っています。

遠 藤：確かに、新型コロナウイルスのワクチン接種でも、高齢者がネットで予約をするのはほぼ不可能なのではないかと思うほどの難易度の高さがありました。高齢者がぱっと見て直感的に自分でできるようにならないと、本当の意味での普及はしないですよね。

川 邊：その通り。Amazon.comとGoogleが音声認識で熾烈（しれつ）な争いをしていたときは、途中まで冷ややかに見ていたんです。プロダクトアウトが過ぎるとか、データを集めるためだけなのではないかなどと思っていました。今は逆に、声で予約できるくらいにならないと、高齢者までデジタル化が進むのには時間がかかってしまうのでは、と思うようになっています。

藤 井：デジタルが苦手なシニアの方を考えたときに、目の前のインターフェースは人だが、裏側は全部デジタル……みたいな使い方も事例として出てきていますよね。例えば医療において、目の前にいる人は医者ではなく実は素人のアドバイザーで、その人が患者にヒアリングしてデータ入力すると、裏でAIを通じて処理されたフィードバックが得られるといった事例もあります。インターフェース側は人だったり物理的なものになっていたりしているが、後ろはちゃんとデジタル化されているような形になれば、置いてけぼりにされている方々が一緒に前に進んでいけるかもしれません。

■インフラの強さやカイゼンの勤勉性が人の可能性を広げる

藤 井：逆に日本の可能性や強みに感じていることはありますか。

川 邊：一つは通信環境が圧倒的に良いことが挙げられます。5Gはまだこれからですが、IoTの時代に突入しやすいのは圧倒的なアドバンスです。私はソフトバンクの取締役もしていますが、ソフトバンクはついこの前まで米国の通信キャリアのSprintを持っていました。米国と日本を見ると、通信環境の違いはすごい。米国には全然通信が入らない地域がまだいっぱいあります。

日本の場合、ソフトバンクの電波も全国津々浦々ほとんどで入ります。私自身、実はハンターをやっていて、日本の山奥でいろいろな獲物を捕っているのですが、5〜6年前にはそんな山奥では携帯の電波が入らなかったので、仕事の連絡を逃さないようにするため、携帯の電波が入るところでひたすら待ち伏せをするしかありませんでした。今はもう電波がどこでも入るので、仕事をしながら存分に狩りができます。これはすごいポテンシャルだなと。

今コロナで急速に働き方が変わってきています。個人の人生のウェルビーイングを考えるならば、もっと分散して仕事をしていくべき時代に突入するんじゃないかなと思うと、圧倒的な通信環境は非常に有利になりますよね。

藤 井：ヤフーはリモートワークをずっと推進し続けていますが、そこに対する思いも重なっていますか。

川 邊：そうですね、我々は2013年から「どこでもオフィス」[*1]を提唱して推進してきました。業務をデジタル化して会議もオンラインを前提にすることで、自分が最もパフォーマンスが出る場所で働いてもらうものですが、それにも通底します。

ただ、その制度を提唱した我々自身、初めは月に3日それを取ってもらうだけでも大変な苦労でした。オフィスが自分にとって最もパフォーマンスが出る場所だからオフィスに来ていたという可能性もありますが、全員がそうであるわけはないですよね。親の介護をしなければいけない人もいますし、私は千葉の館山に住んでいますが、環境のいいところで海を見ながら

＊1
会社から貸与されているノートパソコンやスマートフォンを使って、連絡が付くところであればどこでも仕事ができるという制度。当初は回数制限があったがコロナ禍で制限をなくした。

考えると創造性が増すこともあります。何となくオフィスに行かなければという思い込みは、結構罪深い気がしますね。

ある意味コロナを肯定的にとらえるならば、**今までの既成概念が変わったときにデジタル技術を活用して、もっと人間が創造的になっていくところまでたどり着けるようになる**といいのではないかと思います。

藤 井：遠藤さんは、日本の強みについてどう考えていますか。

遠 藤：もともと持っている強さとして、真面目に仕事する人が多いところだと思います。製造業が強いのはずっとカイゼンを続けてきたためであり、そこは世界に類いまれな強さを持っています。ただ、自動車の場合はカイゼンできるのがモデルチェンジの4年後だったとしても、ソフトウエアサービスやデジタルサービスなら毎時間カイゼンリリースできる。そういう意味では、カイゼンが得意な日本人としては、デジタルの方がもっと良いサービスを提供できるはずです。

Teslaを購入した人は「毎週アップデートされて最高だ」といった話をしますが、日本メーカーがやった方が早いし、積み上がるだろうと思ったりします。それができる環境を整えないとできませんが、本来の真面目さや繰り返し行うところでは、日本人に一日の長があるのではないかと思っています。

■置いてきぼりを生み出さないために UI/UXのユニバーサルデザインが必要

藤 井：今回のイベントの中で出てきたインサイトや全体の傾向を私からシェアして、お二人の意見を伺わせてください。まず、「ビジネスの価値の源泉は製品そのものや機能的なものというよりUXに移行しており、体験や使いやすさなどの価値が非常に高まっている」と多くの方が話されていました。

その中で面白かったのが、登壇者の多くがインターネットの変遷を3段階のフェーズでとらえられているということです。1つめはパソコン時代で、目の前のパソコン画面で起きていることが基本なので、UXの話をしてもデザイン領域の話が中心でしたし、そこでのデジタル体験がリアルのおまけとして存在しているといった形でした。

2つめのモバイルインターネットの時代になると常時接続になり、使えるデータの種類やインターネットを利用するシーンもどんどん増えて複雑性が高まり、それをうまく解きほぐせると提供できる価値も増やせる、という時代になりました。

3つめとして、デジタルとリアルが融合する「OMO（Online Merges with Offline）」という言葉がよく使われますが、**今はこの融合をとらえなければならず、同時にUXという言葉の意味ややるべきこともさらに複雑化しています。**

モバイルの画面の中で起きていることだけではなく、タクシー運転手やデリバリー配達員なども体験の一部になるので、画面だけではコントロールしきれず、ものすごく複雑な要因が相まって人々に価値を提供することになります。ステークホルダーも増えるし、必要なケーパビリティも増えてくるというのが、世の中を悩ませているポイントなのかなと思います。

今のようなデジタルとリアルの融合には川邊さんも取り組まれていると思いますが、新たに現れている難しさや可能性について考えていることはありますか。

川邊：UI/UXのユニバーサルデザインが普及してそれに基づくことで、みんなが使えるようになると思います。今はリテラシーの格差が大きな問題ですね。

日本にはメーカーがたくさんあり、それぞれがOMOやIoTなどを実現していますが、自社のUIにこだわらず、ユニバーサルデザインで同じような使い方、デザインであってほしいですよね。そうじゃない限り、新しいものを買ったら独自のUIを使いこなさなければならず、相当リテラシーの高い人じゃないと使いこなせなくなり、デバイドが進んでしまうわけですから。

スマホはもうAndroid系とiPhone系の２種類しかないので、他のデバイスやOMOのようなものも、これらの使い勝手に合わせるべきでは、と思います。

最近自宅にかなり大きなビデオ会議システムを導入したのですが、Zoomベースで基本的にタッチパネル操作になっています。テレビを買うと必ずメーカーのリモコンがあって、タッチパネルではないのですが、その会議システムは巨大なスマホのように触ってZoomのパスコードなどを入れてすぐに使えるようになります。統率の取れたユーザー体験をみんなで実現しないと、悲惨なことになっていくような気がしています。

遠 藤：ヤフーとLINEを統合されている川邊さんだからこそ、残される人がいなくて全員が使えるようにならないと困るという観点で見ていますよね。

川 邊：より使いやすくなるのであればいいんです。ガラケーからiPhoneはUI/UXの大変革期でしたが、最初はみんな違和感を持ったものの、結局前よりよくなった。前よりいいものであればいいんですが、「既にいいものがあるのに独自にこだわる」というのはなしにしたいところです。

遠 藤：イトーヨーカ堂の創業者であるセブン＆アイ・ホールディングスの伊藤雅俊名誉会長に10年ぐらい前に話を伺う機会があったんですが、当時は週3回イトーヨーカドーに行って、どういうふうにお客さんが買ってくれるかを観察し、もっとよくするにはどうすればいいかを考えていたそうです。

「リアル」はよりよくするための状況理解がしやすい一方で、例えばヤフーのサービスもLINEのサービスもかなり生活に密着してずっと使われているし、どんなときでもどこでも使われるようになりました。改善していくといっても、店舗に行って観察するという感じではもはやないわけですが、オンラインにおいて、どう使われているのか、ユーザーがどういう状況にあるのかを把握することは、どのように取り組まれていますか。

川 邊：それは何層にもわたってやっていますね。一番のベースは1ユーザーである自分が使ってみることですよね。40代のユーザーの標準的な使い方をしたときに、使いやすいか使いづらいか、いわゆるドッグフーディング*2です。当然、莫大なクリックデータを見てチューニングしていくようなデータドリブンの取り組みもしていますし、PayPayのようなOMO的なものだと、街に出てどのように使われているのかを定量的に調査したりもしています。UIと、そこから生じるUXのメンテナンスこそが、サービサーのほぼ全てになりつつあります。

*2
社員が自社製品を使ってみること。

遠 藤：そのUXのメンテナンスの裏返しとして何が起こっているのかを把握しない限り改善ができないので、何が起こっているのかを理解して状況をとらえて改善することをずっとやり続けているということでしょうか。

川 邊：そうです。以前はデータを人間が見て、最後は「こういうデータならこのようにUIを変えよう」と、かなり職人的にデザインをしていました。現在も大枠のUIの改変などは人間がやっているが、細かいレイアウトや色の調整などはもはやAIがやり始めています。

藤 井：ZホールディングスではUXをビジネス上でどれぐらい重要性に位置付けているんでしょうか。

川 邊：それはもう非常に重要な位置付けとして扱っていますね。インターネットのビジネスは、以前はユーザーが見た回数で広告費などをもらうビューベースでしたが、今はクリックベースに変わってきているので、いかにクリックしてもらうかが重要になります。クリック率が0.1ポイント上がるだけで、我々の検索連動広告などでは年間で何十億、何百億円の違いになってしまう可能性があるわけです。その微細なデザイン、ユーザー体験の違いが、売り上げにおける非常に大きな割合を占めているのは間違いないですし、OMOが進化していくと、リアルの産業もそうなっていくのではないでしょうか。

■スケールが大きくなるほど、ビジョンの共有が求められる

藤 井：L&UX2021を通しての2つめのトピックとしては、OMOの時代を前提にすると皆で共有可能な「ジョイントビジョン」が重要ではないかと提唱されている方がいました。例えばスマートシティやMaaS（Mobility as a Service）など規模が大きくなってリアルが絡んでいくと、利権も関係し、1社のケーパビリティだけではどうにもならないケースも出てきます。そうすると多くのステークホルダーが思いを共にして動かなければいけませんが、そのために必要なのは技術ではなく、世の中や人の生活がこうなるといいねというジョイントビジョンになります。つまり共有できるビジョンをいかに掲げて、その人たちをまとめ上げられるかが重要だと。

　インターネットからモバイル、OMOまでの3段階

のような話で考えたときに、考え方も、必要とされるリーダーシップも変わってくると言えます。リーダーシップが変わってきたとか、組織を強くしていく上での推進力の上げ方が変わってきたと思うことはありますか。

川邊：それはすごく感じますね。それによってベンチャー企業はかなりの人と資金を集められるようになってきたと言えます。情報技術が人のさまざまな生活を変革したり、夢の実現を手伝ったりできるようになってきました。

Amazon.comやGoogle、我々ヤフーなどの時代は、そういうことを証明しないと人もお金もなかなか集まってきませんでしたが、我々先人たちが証明してきたことで、まさに「世の中にはこういう課題があり、これを解決するとこういう世の中がやってくる」というビジョンが見えるようになりました。「解決された世の中から私は今タイムスリップしてきていて、その世界を見てきたんです」みたいに語ることによって、本当にそのビジョンに共鳴して、人が集まったり、投資家が投資したり、クラウドファンディングで投資を得られるようになりましたよね。

うちには安宅和人さん*3という非常にビジョナリーな人がいますが、彼はそれを「妄想ドリブン」と呼んでいます。妄想ドリブンで世の中が動くように変わり、妄想力も発信力も高い人には、とてもいい時代になってきたなと思います。

*3
慶應義塾大学環境情報学部教授でヤフーCSO(最高戦略責任者)。

遠 藤：一つだけ難しさを感じているのは、例えば自動運転における事故の責任分担などの法制度の話です。

単体で終わるリーダーシップは実現しやすくなる一方、成し遂げようとすることが大きくなると、自分たちだけではやりきれなくなるわけですが、とはいえ周りを巻き込んで一緒にやるのは準備も大変です。LINEとの統合なども大変だったと思いますが、自社だけで解決できない問題は実際ありますか。

川 邉：たくさんありますよ。仕掛けが大がかりになってきているので、政府や中央省庁、地方自治体との関係性やそこへの働きかけも重要になっています。特にこれからスーパーシティ*4などをやっていく場合は、自治体で住民投票までしなければなりません。そうすると、その首長がそれを支援して住民を説得してもらわなければならなくなる。特にそういう働きかけが重要になってきました。

ただ、かなりフレキシブルになってきているとは感じます。例えばスーパーシティをやってみたいという地域の、会ったこともない町長に、今ならTwitterなどで呼びかけることもできます。大がかりにはなるが、何とかやってのけるためのIT技術も同時に整いつつあります。

やることが大きくなっていって、それが何とかできると、また社会がアップデートすると理解しています。大がかりじゃないものは全部ベンチャー企業でできる世界になってしまうので、大変なことは大企業こそ頑張れると思います。トヨタが「ウーブン・シティ」*5を作るのも、トヨタだからできることですよね。

*4
高齢化や過疎、空き地など、さまざまな地域の問題を、AIやビッグデータなどの技術を使って解決していく未来都市。国家戦略特区を使って実現する構想が提唱されている。

*5
トヨタが静岡県裾野市に建築中のスマートシティ。自動運転やパーソナルモビリティーなどの実証実験を行う。将来は2000人以上の住民が暮らし、社会問題の解決にも取り組む。

■どの企業もUXを統括するチーフUXオフィサーを置くべき

藤 井：顧客接点が限られていたり、製品ベースだったりしたときには縦割りでもよかったのですが、体験型やUX型のようなビジネスになると、組織の作り方もかなり変わってくるという議論もありました。川邊さんが最近、組織づくりに関して課題に思っていること、取り組まれていることを教えてください。

川 邊：ヤフーの場合は日々それを工夫したり悩んだりしてきた20数年間でした。たくさんあるサービスを、Yahoo! JAPAN IDで一つの体験価値につなげられた方が価値は高いわけだから、我々もやらなければいけないわけです。そうすると**世の中の他の会社も、サービス提供者の組織体の中に「チーフUXオフィサー」をいかに置くかが重要になってくるのではないか**と思います。

ヤフーではサービスが広範囲すぎて、まだチーフUXオフィサーを置けていないんです。今だとソフトバンクユーザーはPayPayが何％お得だとか、これからもヤフーとLINEのユーザー体験を繋げるだとか、どんどん連動性を高めていかなければいけない。こんな広範囲なユーザー体験を誰か1人に集約することがなかなかできないでいます。

その点、楽天は素晴らしいです。多分、三木谷さん*6が事実上チーフUXオフィサーなんでしょうね。彼が全部作ってきたから、彼が一人で完結できると思います。しかしヤフーの場合は代替わりもしているし、合併も繰り返しているので、その時々のチーフUXオフィサー

*6
楽天グループ創業者で代表取締役会長兼社長の三木谷浩史氏

をいかに見いだしてユーザー体験につなげていけるかは大きな課題です。

恐らく**あらゆる事業がサービス化していって、それのユーザー体験が問われるようになったときに、どの企業や活動体の中にも、そういう全体のUXを管理できる人もしくは組織を置くことが共通の課題になってくる**と思います。

遠 藤：ものすごく共感できます。ずっと大手企業の支援をしてきて思うのは、横串機能の難しさです。やはり強いのは売り上げを上げている事業部で、そこに干渉するには相当なパワーが必要ですし、そこに弾き飛ばされて形骸化し、ないがしろになるという例をたくさん見てきました。

藤 井：チーフUXオフィサーが、どういう役割を果たし、一方何をしないのかという人材要件を考えると、デザイン領域で価値を出していくこと以上に、各ユーザー接点で同じような価値を提供しなければならないので、ビジネス理解も必要になります。まさにデザイン、ビジネス、テクノロジーまで統合的に見られなければならないので、すごく難易度が高いですよね。

川 邉：日本はもともとコンピューターサイエンス学科もデザイン学科も弱いので、それ自体を強化しないといけないでしょうね。多分コンピューターサイエンスとデザイン学科などのダブルメジャーの人たちがサービス提供者に入って、何年かビジネス的観点の修行もして、それで初めてユーザーエクスペリエンス部みたいなのに所属し、何年かでやっと初めてチーフUXオフィサーになるみたいな流れになるでしょうか。そのような流れを教育機関や部署、キャリアパスでちゃんと作っていかないとダメですよね。

■ 人々を自由自在にするUX

藤 井：最後のテーマに行きます。このセッションのタイトルは「UXとテックのこれから」となっていますが、UXとテックが合わさると、人々をエンパワーすることもできるし、逆に悪用することも可能です。そう考えると怖さと可能性が表裏一体になっています

そんな中で、以前に川邊さんがある対談で話していた言葉が心に残っています。「意志さえあれば、個人レベルでも自己実現ができる。少人数でも世界を変えるようなすごいことができる。そうした自由自在にするためのお手伝い、サービスを我々は提供していく」という言葉でした。

「自由自在」という言葉はなぜ出てきたのでしょうか。裏にある思いを最後に伺いたいです。

川 邊：Zホールディングスも広くいうとソフトバンクグループですから、「情報革命」を信じているし、情報革命で人々を幸せにするというビジョンを共有している仲間だと思っています。

コンピューターとインターネットは、実はどちらも戦争のためのツールとして生まれてきました。それが民間に開放されていくことで、国家のエンパワーメン

トではなく人々、特に小さな個人に対するエンパワーメントにツールとしての可能性が転化したのでしょう。

でも、それはちょっと前まではプログラミングができる人が手にできるエンパワーメントだったのでしょうが、我々のようにアプリケーションやサービスを提供する人々、そしてそのサービスがUXに変わりつつある今、UXそのものを提供することで小さき者たちがエンパワーされたり、小さき者たちがネットワークでつながったりすることによって巨大な価値を生み出す、あるいは夢の実現に貢献できるようになってきました。

自然とこんな仕事、最高だ、楽しすぎると思ってずっとやっているんです。これからもますますやることは高度に、あるいは大規模になるかもしれないが、基本的には個人をエンパワーメントする、人類を自由自在にしていくというテーマでやっていきたいなと心底思っています。

藤 井：なるほど。熱さが伝わります。自由自在という言葉を使われた思いや背景も伺えますか。

川 邊：Zホールディングスの企業ビジョンは「人類は、『自由自在』になれる。」というものです。

我々は情報技術という魔法、あるいは筋斗雲、どこでもドア、もしくは如意棒などのような、どこにでも手が届くものを手に入れています。その結果、何が訪れるかというと、一つは当然個々人が持っている夢の実現でしょう。夢を持つこと自体が大変ですが、夢までいかなくてももっと衝動的に「こういう自分でありたい」「明日こういう生活をしたい」「この夏休みはこういうことをしたい」といった欲求でも構いません。それらを圧倒的に実現してくれるユーザー体験というのがインターネットや情報技術であり、それを一言で言うと「自由自在」だったわけです。自由自在こそが、我々が提供していく価値なのではないかと思っています。

遠藤：素晴らしいビジョンです。今もだいぶ実現されてきているとは思いますが、ぜひそれを実現してほしいと思います。

セッションの見どころ

川邊さんは、チーフUXオフィサーの必要性を語られていました。「様々なサービスや事業がある中で、これを一つの体験価値としてまとめていくことでより強くなっていくが、これを担保するためにはいかに組織体の中にチーフUXオフィサーを置けるかに収れんされてくると思う。あらゆる事業がサービス化していき、そのユーザー体験が問われるときに、どの企業や活動体の中でも、UXを統合的に見ていく人、または組織を置けるかどうかが課題になってくるだろう」ということを語られています。

これは範囲が広ければ広いほど難しく、例えば楽天であれば創業社長である三木谷さんがほとんどチーフUXオフィサーと同じ役割を担って全てを見ていて、実際には創業時に社長がやることと同じである、と話されます。ヤフー自体は代替わりや合併が繰り返されるため、まだ置けていないがこれには向き合っていきたい、ともおっしゃっていました。

■ユニバーサルデザインとデジタルの浸透

ビジネスの価値の源泉がUXに移行している、という話を川邊さんに向けると、まさにその通りであるとした上で、ユニバーサルデザインの重要性を語ります。

シニアの割合も多く、デジタルリテラシーの差が大きい日本において、デジタル庁をはじめ様々な企業が「誰も取り残さないデジタル」を掲げます。しかし、実際にデジタルサービスを立ち上げるときには、多くの企業が「自社独自のデザイン」にこだわりすぎて他社と違うレイアウトやインターフェースを追求した結果、様々なサービスがそれぞれ個別のUXやデザインになってしまい、社会全体としてのデジタル体験がとっつきにくく、難しくなっているのではないか、と川邊さんは指摘します。日本のプラットフォーマーとして、なるべく多くの人にデジタルに慣れて使ってもらおうと考える川邊さんの観点からすると、「あらゆる会社が同じようなインターフェース、同じような挙動で統一されれば、もっとデジタルに対する抵抗感もなく、身近であったのではないか。その結果、よりデジタル化も進むし、サービスもよく利用されるようになるのではないか」と言います。

ユニバーサルデザインとは、文化・言語・国籍や年齢・性別・能力などの違いにかかわらず、できるだけ多くの人が利用できることを目指したデザインを指しますが、ここでは多くの人が共通で使い、学習コストをかけずに学べるものという意味を含んで語られています。この「学習コストをかけずにいかに学んでもらうか」というテーマは3-3のGoJekの話のところにも出てきますが、既に学習していることを如何に再利用して新しいサービスを使ってもらうかという意味では共通する考え方と言えます。

『アフターデジタル』シリーズではよく中国の事例を取り上げますが、14億人という世界最大の市場で広くサービスを利用してもらえることが優先されるため、実際にほとんどのアプリが同じような構成・レイアウトを採用しています。国全体でその傾向がある結果、デジタル先進国と呼ばれるほど広くデジタル化が浸透しているともいえるかもしれません。

■自由自在の意味

Zホールディングスでは「人類は、『自由自在』になれる。」という言葉を掲げています。この言葉の背景を伺ってみました。

「もともとインターネットの技術は軍事利用のために作られたが、それが民間開放される中で、国家の強化ではなく、個人のエンパワーメントに転化したという流れを引き継いでいる。かつてはプログラマーにのみ使いこなせるものだったが、そうでない人にとっても使えるインターフェースやUXにすることで、一般の人々が巨大な価値を生んだり、夢の実現に生かしたりできるようになっているので、その意味で個人、人類を自由自在にしていくということをやり続けているつもりだ」

「情報技術によって我々は今までできなかったことができるようになり、ある意味魔法を手に入れたと言える。夢の実現というと大げさかもしれないが、明日これをしたい、この夏休みはこれがやりたい、という欲求レベルであっても簡単に実現できるようにしたい」

L&UX自体も「人が、その時々で、自分らしいUXを選べる時代へ」という言葉を掲げていて、これは『アフターデジタル2 UXと自由』の帯にも書かれています。人々の可能性を極大化し、自己実現を簡単にし、逆に自分で決めなくてもよい面倒な部分は自動化してくれるような世の中になっていくには、こうした選択肢を増やすことで自由を実現する企業が増えていくべきだと思っていますし、それこそがアフターデジタル時代の企業の役割ではないでしょうか。

第2章 UXのグローバル潮流

2-1 テクノロジーとUXの世界潮流
—日本から見えないゲームチェンジ

本セッションの狙い

このセッションはグローバルを見渡す場として位置づけています。

2019年に発行した『アフターデジタル オフラインのない時代に生き残る』で中国の事例や環境を扱っていたこともあり、もともとは中国の方々との対談を中心に考えていました。しかし時勢柄、グローバルを全部見渡す方がフラットですし、内容も濃いだろうと思い直しました。その代わり、当然企画は難しくなります。

中国以外だとシリコンバレーの事例くらいしか知らないとか、GAFA、Nikeの話くらいしか知らないという現状の中で、どうやって、北欧やインド、東南アジアなど、日本からはなかなか見えない最先端を理解してもらえればいいのか考えた結果、日本人でグローバルに詳しい人たちを集めて話してもらうのが一番だという結論に至りました。

ただグローバルに詳しいといっても各国の商習慣に詳しいなどではなく、テックの話もビジネスの話もUXの話もできる人と考えたとき、蛯原健さんと塩野誠さんが浮かび上がりました。

蛯原さんはベンチャーキャピタル「リブライトパートナーズ」の創業者で、シンガポールに拠点を置いて東南アジア中心に、インドにも積極的に投資をしています。蛯原さんの本『テクノロジー思考――技術の価値を理解するための「現代の教養」』*1は拙著『アフターデジタル2 UXと自由』でも引用しており、ぜひ出ていただきたいと思っていました。

一方、北欧ということでこの人と思ったのが塩野さんです。1-1で登場いただいた冨山和彦さんが会長の経営共創基盤

*1
『テクノロジー思考――技術の価値を理解するための「現代の教養」』／ダイヤモンド社、蛯原健著

(IGPI) で共同経営者を務められ、北欧・バルト地域でNordic Ninja (ノルディック・ニンジャ) というベンチャーキャピタルを立ち上げています。「L&UX2021」の3カ月前くらいまでフィンランドに住んでいらっしゃって、北欧にどうしてベンチャーキャピタルを立ち上げたのかと聞いたときに、すごく話が面白かったんです。

例えば、北欧にはあまり知られていない優良なスタートアップがたくさんあるとか。なぜかというと米・中・イスラエルのスタートアップの評価額がものすごく高くなっている中で、北欧はまだそこまでの注目を浴びていないから。ですがSpotify*2もSkype*3も北欧から始まっているし、グローバルに展開する力を持ったサービス品質の高い企業がたくさんあるそうです。

他にもいろいろな話を聞いたのですが、とても面白く、塩野さんが北欧代表にふさわしいと思い、2人目が決まりました。

では米国や中国の話も踏まえて、その二つのエリアも話せる人といったら、もう一人は尾原和啓さん*4しかいないかなと思いました。なんでも知っている知識の洪水のような人です。

*2
世界最大手の音楽配信サービス。世界で3億6000万人人以上が利用、有料会員も1億6000万人以上いる。

*3
音声やビデオ、テキスト・チャットのコミュニケーションツール。無料電話サービスとして2004年に始まった。2011年に米Microsoftが買収。

*4
IT評論家で『アフターデジタル - オフラインのない時代に生き残る』の共著者。

テクノロジーとUXの世界潮流
－日本から見えないゲームチェンジ

塩野 誠（IGPI）／蛯原 健（リブライトパートナーズ）／尾原 和啓（フューチャリスト）

■アジアでは「スーパーアプリ」による生活者のDXから進む

尾原 和啓
（Kazuhiro Obara）
Futurist

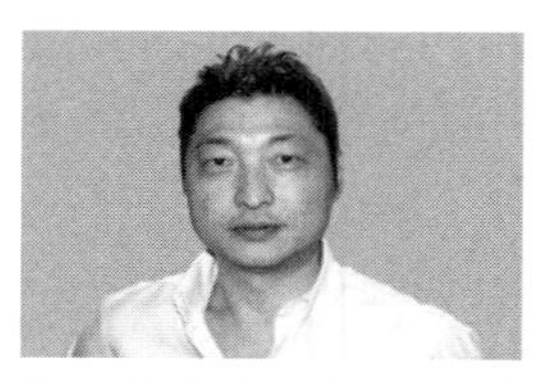

蛯原 健（Takeshi Ebihara）
リブライトパートナーズ
代表パートナー

尾 原：日本ではどうしてもシリコンバレーが新しいゲームチェンジの中心と考えがちですが、それ以外の地域として、中国におけるゲームチェンジは見えているものの、蛯原さんがいる東南アジアやインド、塩野さんがカバーされている欧州がなかなか見えていません。インドや東南アジアでゲームチェンジが加速しているわけですが、まず蛯原さんに日本からは見えないゲームチェンジについて伺いたいと思います。

蛯 原：リブライトパートナーズというベンチャーキャピタルファームはシンガポールの他にインドにも拠点があり、インドネシアを中心にASEAN主要6カ国を見ています。アジア全体でDXは進んでいますが、新興国はコンシューマーサービスから立ち上がって資金が集まり、ユニコーン化していく、というのが各国で共通しています。

象徴的なのがeコマースのShopee（ショッピー）*5や、「リーグ・オブ・レジェンド」*6などのモバイルゲーム配信会社のSea Limited（シー・リミテッド）。時価総額が12兆～13兆円になっており、シンガポールの銀行なども含めて東南アジアで一番企業価値の高い会社になりました。

*5
東南アジアや台湾で最大級のECサイト。https://shopee.com/

*6
Riot Gamesが開発した、複数のプレーヤーが2チームに分かれて戦う「MOBA」の代表的なゲーム。Riot Gamesは2011年に中国Tencent傘下に入った。Sea Limitedは東南アジアでの配信権を持っている。

一方でインドはReliance Industries（リライアンス・インダストリーズ）という昔からある財閥がDXの旗手になっています。数年前に4G革命を起こして4億人ぐらいの4Gユーザーを抱えており、リテールを全国津々浦々に展開しているが、そこではFacebookと組んでキャッシュレスペイメントを進めるといった形でDXに取り組んでおり、ここもインドで時価総額1位になっています。

DXを担う企業やスタートアップが一気に企業価値としても最大になりました。中国はいわずもがな、AlibabaとTencentが圧倒的2強という状況で、そのあたりがだいぶ日本とは違うところですね。

尾 原：10兆円クラスの時価総額規模でスタートアップ的な気質を持ち、グローバルのアライアンスもありながら動いていくDXではどのようなゲームチェンジが起こるのでしょう。

蛯 原：最初にコンシューマー向けの生活アプリ、いわゆるスーパーアプリ*7が波として来て、次はフィンテック、その次にライドシェアが来ました。要するに全てのライフシーンにおいてデジタル完結していく状況がもう6合目まで来た感じです。人口構成が若いといった理由もありますが、そこが大きなゲームチェンジですね。その次にB2Bを含めた全産業のDXが進んでいると感じています。

*7
ペイメントに始まり、移動、飲食、娯楽など様々な機能を集約し、生活インフラになるような統合アプリ。

尾 原：欧州はどんな状況でしょう。スーパーアプリのようなものは出てきていますか。

塩野 誠（Makoto Shiono）
経営共創基盤（IGPI）共同経営者
マネージングディレクター

塩 野：私は、2年間ほどフィンランドに住んで、北欧・バルトで国際協力銀行とNordic Ninjaというベンチャーキャピタルを立ち上げました。**欧州だと、スーパーアプリで全部やろうというよりは、自然発生的にみんなが使うアプリがいくつかあって、それを誰もが使っているという印象**ですね。例えばタクシーアプリもそうだし、MaaS（Mobility as a Service）に関係する「Whim（ウィム）」*8というアプリなどもそうで、Whimのような MaaSサービスは日本だとテクノロジーに詳しい人が使っているイメージですが、向こうでは幅広い年齢層に使われています。

私がエストニアで思ったのは、日本でいう市役所や区役所のような公共機関で受けられるサービスを恐らくみんなアプリの機能だと思っているんだろうな、ということです。駐車するときも、何もないところにアプリで停車場所を指定して止めますしね。エストニアは人口130万人程度ですが、駐車場アプリが8カ国語対応していて、UXがすごいんですよ。

*8
フィンランドのMaaS（Mobility as a Service）最大手MaaS Globalが提供するサービス。本書の3－1を参照。

尾 原：駐車場や市役所などがもうデジタルに溶け込んでいて日常的に、ユニバーサルに使われていると。インドでも銀行は同じような感じになっているんでしょうか。

蛯 原：インドはアンバンクトやノンバンクのユーザー、つまり銀行口座を持たないような人々が人口に占める比率が50％ぐらいで、フィリピンに至っては70％を超えます。スマホが初めての銀行口座という人の方が多いくらいになっているので、似たような感覚はあるかもしれないですね。

■社会インフラの維持コスト問題はアジアも日本の地方も同じ

尾 原：**米国では銀行がコミュニティースペースとして使われる一方で、北欧やアジアではスマホが普段の銀行になるような「UXの二極化」が起きているん**ですね。北欧やインドの場合は「リアルが無駄だからそもそも持たない」みたいな考え方なのでしょうか。

塩 野：レガシーがあるかないかという問題は大きいですね。日本の立派な市役所や区役所を起点に考えると、「銀行ってスマホだよね」という考え方とは根本が違います。

蛯 原：ただ、結論に至る問題は同じかもしれません。例えば日本では総合病院という社会インフラを、一つの村でコストとして負担するのが難しい状況になっていますが、もともと無医村であるインドの地方の村も同じです。結果、両方とも遠隔医療をやればいいという結論になります。新興アジアのDXやデジタルネイチャーのソリューションは、日本の地方都市でも使えるのではないかと思うことはたくさんあって、それをどう社会実装していくかというフェーズに入っているのではないかと思います。

尾 原：実際、アフリカでは救急車をシェアライドするスタートアップなどもあり、公共インフラまでUXの力で柔軟にしていくものも出てきています。そういう観点で考えると、北欧は公共インフラを分散していくところがものすごく強いですね。

塩 野：私は北欧とバルト、さらに中東欧も見始めているが、日本はガラパゴスと言われている中で「Suica（スイカ）」のように技術が圧倒的に進んだ部分もあります。しかし社会実装にも社会背景の部分が大きくて、そもそもフィンランドの地下鉄には改札がありません。スマホでチケットを買って乗って、時々見回りの人が来るとスマホをかざして、もしチケットを買っていなかったら罰金80ユーロを払って終わりなんです。

尾 原：罰金を高めにしているから、普段は性善説でアプリを使ってもらって、その代わり改札などの社会インフラのハードに投資しなくてもいい、となりますね。

塩 野：そうなんです。日本だとどんどんレトロフィットしてしまい、改札は高いからやめよう、みたいな話は出てきませんよね。医師も社会インフラと言えますが、フィンランドだとウェブで複数の病院が提示されて、どこかの医師を予約するという形になっています。日本はこうなっていません。

尾 原：インドや東南アジアなどはもともとインフラ整備がゼロだから、一気にインフラができあがる「リープフロッグ」があります。一方、日本では医師会のような既存権力があって移行しにくい部分がありますよね。なぜ東欧や北欧はそれを乗り越えられるのでしょうか。

塩 野：あくまで自分の考えですが、中小国として本気で生き残りをかけているのだと思います。例えば北欧・バルトのスタートアップは最初から自国市場をまったく見ていなくて、グローバル市場を狙っています。Spotifyがいい例でしょう。エストニアのスタートアップでUber*9の競合となる「Bolt」などはCEOが20代で、欧州各国で小刻みにUberを倒していってシェアを伸ばすなど、最初からグローバル狙いでやっています。日本で展開するフィンランド発のWolt*10もそうです。中小国なので自国市場が十分な規模にないのと、目立たなければすぐに国際社会から忘れられるという危機感があるのだと思います。

*9
米Uber Technologiesによる配車サービス。

*10
フィンランド発のフードデリバリーサービス。日本でもサービスしており、Uber Eatsと比べて配送料が安いなどの特徴がある。

蛯 原：シンガポールもそれに近いですね。国家としてトータルに取れるマーケットが小さいと、レガシーな大企業でもグローバル企業以外は生き残れないので、最初からグローバルに目を向けているのでしょう。

塩 野：そこは大きいと思います。私のシンガポールの友人は、「クリエーティビティーは輸入するから大丈夫」と言っているのがとても興味深かったです。

■GDPRのような新しい価値観やルールメーキングこそが日本のチャレンジ

尾 原：イノベーションの考え方としてヘンリー・ミンツバーグ*11さんの「組織論」では、改革を外向きに進めるのか内向きに進めるのか、変化を受け入れるのか、既に知っているゲームで勝つのか、といった2軸がありま

*11
経営学者。学習によって戦略を変化させていくことが重要だと説いている。

す。一般的にスタートアップは変化に強くて外向きで、とにかく創発を下から起こして勝つという考え方をしますが、シンガポールの考え方は面白くて、「インターナル」の考え方がもっと広いんです。シンガポール1国で考えるのではなく、東南アジア全体の中で他社とコラボレーティブした形で勝てばいいと思っています。そうすると、必ずしも創発を自分で起こさなくても、コラボレーションの中で外から取り込んで作ればいいという考え方になります。

シンガポールのDBS銀行がいい例です。彼らは放っておくとAlipay*12やWeChat Pay*13にシンガポールが侵食されてしまうと考えていました。そのときに複数の銀行連合で「PayNow」という支払いのツールを作ったのですが、インターフェースや作り方は完全にAlipayのクローンでした。しかしレガシーな銀行が連合になっているから、シンガポールではそれがデフォルトになります。そこにスモールビジネス系のフィンテックなどが付いてくるから、そのモデルを輸出すればいいという感じで考えていて、イノベーションに対する設計思想が全然違うという気がしました。

*12
中国のアリババが提供する決済サービス。

*13
中国のテンセントが提供する決済サービス。

塩野：思想問題は本当に大きいと感じます。北欧には「ノルディックイノベーションハウス」という、北欧連合で海外にスタートアップを売り込む政府機関があります。日本では、韓国や台湾などと組んで世界に売り込むというのはなかなか考えにくいですよね。中小国連合でやるぞという考え方だけでなく、国としてのポジショニングの違いも関係していて、例えばスウェーデンは西側諸国の北朝鮮との窓口となっていて、米国高官と北朝鮮高官がスウェーデンのストックホルムで会っています。そういうポジションを取ることで影響力を作り出すことをあえてやっているのですが、日本は大国であるが故にちょっとさぼっていますね。

蛯原：デジタル政策・戦略では、意外とそういうウエットな思想・理念・哲学・宗教などが重要だと日ごろから思っています。欧州はそこが強くて、GDPR（EU一般データ保護規則）のような新しい価値観や概念を生み出すのがその典型。日本のチャレンジはそこにあるんじゃないでしょうか。

尾原：GDPRは日本からは規制が強化されるイメージに見えてしまうけど、本来はデジタル時代の貿易協定ですからね。**ルールメーキングを取ってしまえば、おのずとその後ろにイノベーションが付いてくる**ぞ、というわけですね。

蛯原：一方でインドぐらいになると相当強気に振る舞ってデジタル戦略を推し進めているので、デジタルと地政学は表裏一体というのが如実に表れていますね。

塩野：今から起こる一番旬なトレンドの一つに「グリーンイノベーション」が挙げられますが、おそらく最終的には評価アルゴリズムとしてソフトウエア実装されるので、ここでルールが作られてしまうと、一緒に付いてくるデジタルレイヤーを取られてしまう気がしています。

尾原：ここで塩野さんの言うグリーンイノベーションのエネルギーにおける分散型アルゴリズムを説明すると、これまでの中央集権型から、各企業や個人がエネルギーを製造したり販売したり消費したりできる「分散型」に変わっていく、という話ですね。そうすると浄水の在り方も変わるかもしれないし、植物の栽培も電気でできるとなると場合によっては食料生産なども含めて分散環境に変わっていくことまであり得ます。これに関してはインドや東南アジアなどはとてもラディカルにやっているような気もしますが、どうなんでしょうか。

蛯原：そこはまだまだローテクでも十分イノベーティブなので、逆にローテクですね。また、分散型の技術がどれだけ発達するかと言われると、新興国は暗号通貨などにかなりセンシティブで、インドなどは基本的に禁じています。なのでこの辺はやはり欧州がポジションを取り、そのルールの上でアジアはプレーするようになるのではないかと、私は見ていますね。

尾原：なぜ欧州はそういうところでうまくいくのでしょうか。

塩野：シリコンバレーとの違いで言うと、シリコンバレーもコンセプチュアルというかビジョナリーなんですよね。大きなビジョンを「ぶち上げて」から実装していき、技術がなんとか追いついた、みたいなものもたくさんあります。日本人はハードウエア、ものづくりが好きすぎて、ソフトウエアやゲノムなど目に見えないものを嫌うという問題があって、遅れてしまった部分があると思います。

欧州はシリコンバレーにも増して、哲学的な概念を提示するのが非常にうまいんですよね。中小国はルールメーキングへの関与で生き残ろうとします。特に今、波が来ていて日本が関与できていないところで言うと、欧州などがSDGs*14やESG*15といった錦の御旗を担いで大義をかざしながら作る、ESG評価のルールメーキングの部分でしょう。

たとえば「うちのアルゴリズムで企業を評価すれば、その企業が善か悪かをアセスメントできる」というスタートアップが出てきていて、それを機関投資家や我々のようなベンチャーキャピタルに売り込むというモデルなのですが、これは本当に無から有を作り出せます。

尾 原：確かに、考えてみればいわゆる格付けの会社は民間企業ですね。

塩 野：そうなんです。**権威的なアルゴリズムを自ら保有し、そのアルゴリズムにかければESGスコアを教えてあげる、というのは、なかなか日本人がやろうとは思わないだ**ろうなと。

尾 原：現実的に世界最大の投資ファンドのBlackRockですらESGスコアがゼロの会社には投資しないと言っています。しかしESGスコアはネガティブチェックだけだから、どちらかというとポジティブな方を評価するレー

*14
持続可能な開発目標（Sustainable Development Goals）のこと。貧困をなくす、すべての人に健康と福祉を、など17項目の目標を持つ。

*15
環境（Environment）、社会（Social）、ガバナンス（Governance）の略。この3つから投資する企業を分析するESG投資が広がっている。

ティングが必ず出てくるはずですよね。

塩 野：まさにUXのためのアーキテクチャー提供だと思います。日本だったらGPIF（年金積立金管理運用独立行政法人）のような国の超巨大機関投資家があるので、そこが「うちはこのESGスコアアルゴリズムを標準ルールとして扱っています」と言えばそのアルゴリズムが津々浦々に波及します。欧州はそういう戦い方をしていて、面白い領域ですね。

■日本ならではの国柄やアセットを活用する

*16
インドネシアの配車サービス大手。本書3−3を参照。

尾 原：そういう観点で言うと、インドネシアではGoJek*16のファウンダーが教育大臣になるといった流れもありますが、ここには何か裏の意図があるのでしょうか。

蛯 原：裏があるというよりは、今はGoJekと、国内でのサービス普及を考えたときに、そういった動きを取った方がサービスの成長に有利だというだけでしょうね。アジアをけん引する国として、以前は日本で、その後は中国で、これからインドになると考えると、今の段階で政治に入ることで、人口構成という国の持つアセットを最大限に生かせる、ということなのかなと。

　そこは政治とも利害が合致します。若い人からも票を取らなきゃいけない人は、若い人や若い会社、ひいてはスタートアップを重用すれば人気が出るわけですから、GoJekのファウンダーを大臣に据えるという動きになります。

　私が投資したBukalapak（ブカラパ）というeコマース

のユニコーンのファウンダーも、日本で言えばNTTのような国営通信会社の役員になりました。戦略的にその方が有利だからそういう流れが起きているだけで日本がそうならないのは、日本の場合は高齢者から票を取らなければならないからなのでしょう。

そこを無理に変えるというよりは、日本ならではのお国柄、持っているアセットを活用するやり方が別にあるのではないかと思っています。例えばDXとしてできている遠隔医療やフィンテック、あるいはライドシェアや自動運転は、成り立ちは違うものの、結果論として日本の地方都市に使えます。使うと大いに役立つはずなので、深く考えずにやれるところはいっぱいありますよね。

尾 原：私は今、イスラエルのスタートアップのアジア進出を手伝っていまして。イスラエルはユニコーンの数は少ないものの、会社の売却金額は世界有数になっています。その売却先が、以前はCisco SystemsとかIBMなどネットのインフラを提供する企業で、最近になるとGoogleやFacebookなどのネットサービスを提供する企業だったんですが、これがさらに変わってきています。いよいよネットがリアルを書き換えるとなり、かつそのデータも重要となると、リアルにアセットを持っていて、そのオペレーションがしっかりしている国との相性が良くなってくるので、売却先としてドイツや日本の会社を考えているという話がすごく増えています。

結果的にコロナ禍で加速する地方分散型社会の中

で、地方の無駄をどうそぎ落としていくかというところで日本はすごくいいテスト環境になっています。最初にそのスケールアウトを実験する国として非常にポテンシャルが高いので、そこをうまく組み合わせる話などもできますよね。

蛯原：まったくその通りで、理念や哲学、テーマを打ち立てるという意味で言うと、日本はまさに地方や高齢化がある意味で先進国です。シンガポール、中国ですら相当高齢化問題に取り組んでいます。今日のテーマであるUXを考えた場合、米国発ではもはや遅いし、中国を参照してスーパーアプリというのももう古く、やっぱり高齢者にフルデジタルは無理だろう、と。そうなると、オフラインとのハイブリッドで、ガラパゴスだけどすてきな高齢者向けUXを日本が作れれば、シンガポールも中国も真似をするわけで、そこはもうちょっと頑張れる余地があるのではないかと思います。

尾原：社会インフラがもうUXとしてモバイルアプリでいいという時代になると、それを誰がどうサポートしていくのかが耳目を集める力になります。高齢者にはもっとユーティリティー的なところを含めてカバーできるはずということでしょうか。

塩野：それはあると思います。特にKindle[*17]のような電子書籍端末が出てきたときに、私が考えつかなかった利点が「文字を大きくできる」ことで、読書を諦めていたシニアの方がもう一度読書できるようになり「本当に感

＊17
米Amazon.comの電子書籍端末と電子書籍のサービス。

動の発明だ」と言ったそうです。そういうことはいっぱいあるはずですよね。

尾 原：私がサポートしているマレーシアのスタートアップが、スマホに接続すると点字が自動的に生成されるようなアタッチメントを作っていて、スマホのカメラを本の上でスライドさせるだけで、たった5000円のアタッチメントを使って誰もが点字で読めるようになるんです。隣の子が読んでいる教科書や絵本を、自分も読めるようになったときの笑顔がすごかったです。

塩 野：それは世界が変わりますね。

尾 原：そうなんです。本当に誰もがソーシャルイノベーションに加われる時代に確実になってきているんですよね。そのスタートアップは最初3Dプリンターで製造していたが、コストが合わないし形も良くないので、東京・大田区の町工場を紹介してプロトタイプを作ってもらいました。そういうのが増えればいいなと思います。

■コミュニティーの単位や大きさによって オフラインを使い分ける

蛯 原：UXの観点で言うと、高齢者が新しいソフトウエアやアプリを使いたくないという問題があるなら、新興国のやり方が参考になると思います。似て非なる問題としては、地方に行けばスマホを持っていない層はいくらでもいます。そのために、エージェントが地方に行って、スマホやタブレットで「あなたが欲しいものをeコマースで購入してあげます」といった地方の人向けのスタートアップは結構あるんですよね。

有名なところではGrab＊18に100億円ぐらいで買収されたインドネシアのKudo＊19というスタートアップがあります。同じようなものはインドにもあるし、中国ではAlibabaやTaobaoがそれにかなり近いことをやっていたりする。これらも先進国である日本の地方都市に当てはめられるはずです。

シンガポールもデジタルエージェントのような仕組みがあり、団地に必ず1人、高齢者に教えてあげるというボランティアがいるが、そういうところには学びがあると思います。

＊18
シンガポールの配車アプリ大手。

＊19
銀行口座を持たないユーザーが個人エージェントを媒介としてオンラインで買い物できるようにするECサービス。

尾 原：アプリ以外では、ボランティアなどの人がラストワンマイルのUXになりますよね。その人が気持ちよく伝えるために、アプリやプラットフォームとしてのUXがあり、最後は人がしなやかにサポートしていくという、クラウドソーシングとAIの組み合わせのようなものが出てきます。そちらの方が、地方などいろいろなところでしなやかにサービスを作れる場合もあるし、そういうことは欧州がすごく進んでいそうなイメージがあります。

塩 野：欧州はそもそも地続きの小国の塊であることが大きいと思う。エストニアがなぜ電子政府化できたのかとよく問われると思うが、やはり最初はしっかりと市民パソコン教室のようなものを開いたらしいんですよ。だから、日本のデジタル庁の場合も、町の寄り合いでみんなアプリを使ってみようといった取り組みが相当必要になると思います。大学生などに向けてまず講習し、その人たちが地方で広げるといったソフト面の動きが一番大事だし、お金を使った方がいいところです。

蛯原：私が常々思うのは、自治体の単位が欧州は小さくて、その小さい自治体の中でエンゲージメントやコミットメントがしっかりとあるということです。東京都のように1000万人に1つだと、そういう活動をやろうと思っても動けないですよね。例えばインドなどは自治が相当強いから苦労する面も相当あるが、いざというときには自治体が小さいため動きやすいわけです。

尾原：チームラボの猪子さん*[20]が6年ほど前に話していたのは、全てのメディアはグローバルになるとお金がたくさん集まり、高額投資で中央集権型になるが、世界に流通させるためにローコンテキストなものになっていくということでした。一方でローカルプレーヤーが戦うとしたら、お金では戦えないから、戦えるものといったらハイコンテキストとハイエンゲージメントしかない、と。そうなるとローカルのメディアやローカルのソリューションは地元愛や地元の歴史といったハイコンテキストと、あともう一つは自分の村を守りたい、この風景を守りたい、この社会を優しいものにしたいみたいなハイエンゲージメントを、いかにメディアの中に組み込むかが大事だといったことを話していました。まさにそういう感じがありますね。

*20
デジタル技術を駆使したアート作品などのデジタルコンテンツ制作を手がける会社。代表は猪子寿之氏。

塩 野：どうしたら個人の「与党感」が作れるんでしょうかね。

蛯 原：私は企業にしろ、自治体にしろ、日本のコミュニティーの単位は大きすぎるので、それを小さくするしかないと思います。

尾 原：今まではエリアのフィジカル性がコミュニティーのサイズの規定になっていたが、米国などを見るとBlack Lives Matter*21やブラックムスリム*22など、コーザリティ（因果律）が1つのサイズ感を作っています。一方で、日本人のコミュニティーのサイズ感で最強なのはやはりオタクの好奇心。例えば「初音ミク」*23のコミュニティーに関するエンゲージメントはすごいわけです。それが趣味の嗜好性にはすごく働くが、ソーシャルや公共につながることや、自分で培ったものを横展開するということが日本人は弱いのかなと思います。

*21
米国におけるアフリカ系米国人に対する暴力や差別の撤廃を訴える運動。

*22
米国におけるアフリカ系米国人のイスラム運動。1930年ころに始まり、1950年代にはマルコムX氏で有名になった。

*23
クリプトン・フューチャー・メディアによる、ヤマハの音声合成技術「VOCALOID」に対応したボーカル音源とキャラクター。

蛯 原：例えば九州は郷土愛も強いし独特のエコシステムがあって、今はコロナ禍で落ち込んだものの、韓国からの訪日も多くて独立した経済圏があり、近隣アジアとのビジネスに地の利が大きいところがありました。現在はコロナ禍でしんどいとはいえ、食べ物や物の動きは可能だから、テクノロジーを生かすことでうまくバリュージャーニーを作っていくことは十分に可能ですよね。

尾 原：最後に是非、日本に向けて一言ずつ、まだ見えないゲームチェンジのキーワードについて語ってください。

蛯 原：アジアに関してはコンシューマー産業を中心にDXが急速に進んでいて、もう6合目ぐらいまで来ているのは先ほども申し上げた通り。コンシューマー産業の企業価値が勃興するのは内需であって、内需と外需を混同して議論してはならないと思います。その意味で東京はグローバル都市ではなくて世界一の都市圏であって、3000万人ぐらいいる偉大なる内需だと考え、1人当たりのGDPも高いので、そこを突き詰めるなら突き詰めて、グローバルという幻想は持たないというのも一つの手です。

　じゃあグローバルはどこなのかといったら、例えば福岡・博多、グローバルトップシェアの企業が山ほどある大阪を中心とした関西圏、あるいは愛知などもグローバルと言えます。そういったことを学べるいいサンプルがアジアにはゴロゴロしているので、そういったところから学び、共存共栄を試みるというシナリオがいいのではないかと思っています。

塩 野：今年（2021年）フィンランドから日本に帰ってきて、大企業の経営者にコンサルティングなどでお会いしていますが、あらゆるテクノロジーが自分に関係していると思ってほしいですね。

　「それ、うちには関係ない」とか「それは何か違うんだよね」とすぐに言われるのですが、全部関係あるわけです。「車がスマホになる」と10年前に言っていたら変だと思われましたが、今は理解できますよね。スタートアップでも大企業の経営者でも、テック系に限らず飲食でも旅行業でも、全テクノロジーが自分に関係していると思うか思わないかだけで全てが変わるという世界にいて、コロナ禍でそれが加速しています。

グローバルの捉え方も本当の意味でフラットかつ自由に考えた方がいいでしょう。例えばイスラエルなどは優秀な人材が多いが、エンジニアの人件費がすごく高いので、イスラエルでエンジニアが企画したものをポーランドやウクライナ、ベラルーシなどで20％ぐらいの人件費で作ってもらい、それを東京の大田区で作ったハードに入れて、米国に売るといったように、一番いいところを組み合わせればいいわけです。それがもし日本で完結したらコミュニケーションコストも低いし、それはそれでいいよね、と、それぐらい自由に考えていい。

接続された時代になったので、誰でもテックに関係があると思ってほしいことと、最適なものを組み合わせることを常に考えるだけで、頭二つぐらい抜け出せます。あとは100点を目指さないことが重要ですかね。日本人はすぐに100点を取ろうとするが、サービスは60点でスタートして改善し続けることを学ぶべきでは、と思います。

セッションの見どころ

世界では様々なゲームチェンジが起こっていますが、日本という限られた環境にいると、なかなか「今世界で実現されていること」「脅威や機会になるゲームチェンジ」が見えてきません。

シリコンバレーをはじめ、米国の事例はよく耳にする一方、中国のデジタル先進環境はなかなか知られていませんでした。最近、中国の状況や事例も目につくようになってきましたが、東南アジアやインド、さらには北欧などでは、新たなビジネス環境が生まれてきています。それぞれの国の特性、社会環境などを踏まえて、独自に進化しているモデルを見比べていると、私たちが当たり前だと思っていることは、意外と当たり前ではないのだということに改めて気付かされます。

このセッションでは、先日までフィンランドのヘルシンキに住み、Nordic Ninjaというベンチャーキャピタルを立ち上げられたIGPI共同経営者の塩野さんと、シンガポールに住み、インドから東南アジアを股にかけるベンチャーキャピタルであるリブライトパートナーズを営む蛯原さん。このお二人に対して、バリとシンガポールに住むフューチャリストである尾原和啓さんが様々なゲームチェンジの観点をぶつけていただきました。

ここでの議論を理解してから様々なビジネスモデルを眺めると、「なぜこうしたサービスが成立しているのか」という背景が見えてくるので、世界中の事例を眺めるに当たっても、参考にする際の無駄撃ちがなくなり、日本企業として何を狙うべきなのかが見えてくると思います。

■東南アジア、インド、北欧の生態系

まずは蛯原さんによって、アジア圏で起こっている変化が描かれます。例えばSeaは『アフターデジタル2 UXと自由』を書いていた頃から急激に伸びてきた企業で、ゲームやECを皮切りに金融にも入り込もうとしている企業です。今や、これまで東南アジア圏最有力のプラットフォーマーとされていたGrabやGoJekを超える勢いで注目されています。インドのReliance IndustriesもFacebookとGoogle双方が相乗りで組むコングロマリットで、DXの旗手として注目され、石油などの旧来型産業から、EC・ペイメント・テクノロジー系に一気にシフトしています。Facebookと組んでモバイルペイメントの普及なども実施しています。GAFAのうちの2社が相乗りで投資していたり、Facebookがペイメントを推進していたりなどは、日本からはあまり想像のつかない状況ではないでしょうか。

そうした新たなDXの担い手やプレーヤーが急速に現れてくる中で、アジア圏で特徴的なのは「スーパーアプリ化」という現象でしょう。日常の高頻度なアクションからスーパーアプリ化し、いかに社会基盤を整えるかという流れがビジネスの覇権を握る主流であることが見えてきます。

塩野さんの見ている景色に移ると、まったく異なる生態系が見えてきます。社会基盤や福祉が整っている一方で、国内市場が大きくないため常にグローバルを見据えないといけないのが北欧。そうなるとスーパーアプリ型ではなく、様々なアプリが次々と立ち上がる中、MaaS Globalが提供するWhimのように、社会インフラサービス化し、おじいちゃんやおばあちゃんでも使うような浸透をしています。「駐車するときも、何もない普通の道路にアプリを使って駐車して、それで社会として成立し

ている」というエストニアの話から、本当にデジタルUXが社会インフラになっている姿が見えてきます。

尾原さんは以下のように語ります。

「もはや銀行をスマホだと思っていますよね。米国の場合、銀行がむしろコミュニティースペースになったり、カフェと共同でやる形になったりしている。結果的にリアルでしかできないコミュニケーションだとか、地元密着型のイベントみたいなところに銀行がカフェと融合して残っている。一方で、東欧とかインドの場合はリアルが無駄だから、そもそも持たないみたいな感じになっていて、スマホがもう普段の銀行になるみたいに、グローバルの潮流としてみても、UXの二極化が起きていますよね。」

■日本が学び、取り入れるための視点

シリコンバレーやGAFAの事例が取り沙汰されたり、アフターデジタルのように中国事例に注目が集まったりすることはよくある話ですが、その社会環境や国家戦略によって地域ごとの狙いがあり、同じようなテクノロジーを使っていても向かっている方向は異なっています。ビジネスにおいて事例や前例が欲されることは非常に多いですが、まさに「事例をうのみにできない」ということを示しています。

事例からインスピレーションを得ることは確かに重要ですし、発想の幅を広げます。しかし、そのビジネスが成り立っている環境を正しく理解しなければ、まったく的外れな戦略を選んでしまいます。ここでは、エストニアやフィンランド、インドの事例から様々な視点の持ち方が提起されていきます。

エストニアは人口が130万人の小国ですし、フィンランドも550万人程度です。エストニアがデジタル国家化できるのも、

フィンランドで初めてMaaSが成立したのも、この規模と国民同士の距離感、さらには自治・統治の人数規模がなせる業ではないかという議論になります。インドの「Aadhaar(アーダール)」と呼ばれるデジタルIDはインドならではの社会課題を解決する上で非常に有効であった事例として語られます。しかし実際には、13億人という人口を抱えながら、貧富の差が非常に激しく、地方に圧倒的な人数の貧しい人々がおり、まだまだデジタル化されていない現状があります。それでもこの国は9年をかけてデジタルIDを定着させ、国のシステムをAPI化することで、企業が貧困層にアクセスして様々なサービスを提供できる土台を作りました。

ではこれらの事例が、日本がそのまま参照すべき事例になるのでしょうか。

このセッションの中では、「内情を踏まえた上で、規模や課題を参照しながら考えるのが良いのではないか」と語られます。例えば、エストニアやフィンランドは国家ですが、規模からすると互いの顔が分かるような地縁があるような環境なので、都道府県や市のレベルで参照すべきことなのだと思われます。インドについても、13億という人数はまったく想像できないものの、社会課題に対する目の付け方は学ぶべきところがあるでしょうし、地方の力をどのようにエンパワーしていくのかという文脈で考えれば、示唆は得られるでしょう。

グローバルに学んでいくことは、意外と遠く、意外と近いものです。自分が日本で暮らすのと同じ感覚で望んでそのまま転用しようとすれば大きく間違う可能性がある一方で、感覚や環境が異なることを前提として正しく認識をし、要素を抽出することで様々な示唆が得られる、ということが語られました。

L&UX 2021

To an Era in Which People Can Choose Their Own UX at Any Given Time

AFTER DIGITAL SESSIONS

2-2

USデジタルコミュニティーの最前線と日本の可能性

本セッションの狙い

新興国や中国で起こる、デジタルを駆使した社会インフラのアップデートとは異なり、米国で起きていることはカルチャーや思想的な変化を多く含んでいます。D2Cのようにおのおのの世界観や生き方を支えるような個別ブランドが隆盛し、サステナビリティや人権におけるスタンスを企業や個人が示すことの重要性が高まっており、その中でeスポーツを含むファンコミュニティー、さまざまなデジタルトレンドが絡み合いながら発展・変化しています。ある意味で、**その文脈から切り離された日本人やその他の外国の人々から見ると、理解しにくいハイコンテキストな環境になっている**とも言えます。

米国は中国や東南アジアとは異なり、かなり市場として成熟しています。多様性の話だとか、SDGsの話だとか、人々の意思や文化に関連するテーマが増えて来ています。そういったカルチャー面の内容も、全体のメッセージに入れ込みたいと考えていました。同時に、デジタル×カルチャーの最先端にいる人々は今の世界の潮流をどのように見ており、その彼らから見たときに、私たちがユニークだと信じている日本のカルチャーはどのように映っているのかも聞いてみたいと考えていました。

そこで、カルチャーやデジタルの面で米国のことをよく知っている方として、「この方しかいない」とお願いしたのが鳩山玲人さん[*1]です。鳩山さんはもともとサンリオでハローキティを世界に広めたという功績があります。最近ではLINEのキャラクター「LINE FRIENDS」を中国で人気者にしました。中国はLINEを使えないのにLINE FRIENDSは有名でお店もあるん

*1
鳩山総合研究所代表取締役。2008年にサンリオ米国法人のCOOとなりサンリオの海外ビジネスを改革した。Zホールディングス、LINE、DeNA等の社外取締役を歴任。Coinbase、Palantir、Zoom、Twitter、Square等に投資したシリコンバレーのベンチャーキャピタルであるSozo VenturesのVenture Partnerも務める。

です。キャラクタービジネスをどうグローバルビジネス化していくのか、という領域で成功し続けている方なのです。LINEやYouTuberクリエータープラットフォームのUUUMなど、様々な企業で社外取締役やアドバイザーを務めながら、現在はシリコンバレーのパロアルトに住んでおられます。

登壇をお願いした際、「どんな話を期待しているのか」と聞かれ、「基本的にはUXの話がしたいのだが、鳩山さんが詳しいカルチャー観点で、米国で今何が起きているのかといった話を取り扱いたい」とお伝えしました。そこで鳩山さんの持っている膨大なネットワークからお薦めいただいたのがTwitchです。Twitchはゲームをプレーしている様子をインターネットで生配信するサービスの先駆けで最大手。YouTubeのライブやインスタライブなど現在は近しいサービスやコンテンツがありますが、まさに今グローバルでゲームを実況で配信したり、個人がコンテンツを配信したりということが増えている中で、Twitchは「その文化を作った人たち」と言っても過言ではないわけです。登場いただいたケヴィン・リンさんはTwitchの創業者で元COOの方です。

では、もう一人はどこから呼ぼうかという話をまた鳩山さんとしました。何の話だったら今の米国を切り取る上で面白いかな、と話し合ったときに、今一番「来てる」といったら、NFTとメタバースじゃないかという話になりました。

NFT（Non-Fungible Token、非代替トークン）は、デジタルデータに「唯一無二」の本物であることの証明書を付けたようなものです。通常デジタルで作られたものはファイルを簡単にコピーでき、複製が自由であるため高い価値を付けることが難しい状況でした。これに対し、暗号資産で使われているブロックチェーン技術を用い、複製を抑制する（複製できなくしたり、

「世の中に最大20個まで存在しない」と定義して21個目は存在できなくしたり）ことが可能になりました。この技術が施されたデータをNFTといいます。米Twitterの創業者であるジャック・ドーシーCEOが2006年3月21日に投稿した「初ツイート」のNFTは、オークションでなんと約291万ドル（約3億2000万円）で落札されました。デジタルデータであれば何でもNFTにひも付けられますから、音楽や動画など様々なNFTが取引されています。

一方、メタバースはアバターを通じて他のプレーヤーと交流や仕事、遊びなどの実社会に近い自由な活動ができる仮想空間を指します。かつての「セカンドライフ」もメタバースの一つと言えますし、最近では「フォートナイト」や「あつまれ どうぶつの森」などが例に挙げられることがあります。メタバースとNFTを組み合わせることによって、アバターのためのNikeの限定シューズを、プラットフォームの中で何百個限定とかで売る、といったことも行われています。

米Twitterの創業者ジャック・ドーシー（CEO）の初ツイートは、オークションでNFTとして約291万ドル（約3億2000万円）で落札された

こうしたトレンドを踏まえ、Geniesの創業者、アカッシュ・ニガムさんにご登壇いただくことになりました。Geniesはアバターテクノロジーとデジタルグッズを扱う米国のリーディングカンパニーで、様々なインフルエンサーを巻き込みながら新たなアバターワールドを展開しています。セッションにも話が出てくるように、ジャスティン・ビーバーやショーン・メンデスとコラボレーションしたアバターグッズを販売するなど、アバター用のウエアやグッズをNFT技術を使って販売するサービスなどを提供しています。日本にも詳しく、バンダイナムコなどから出資を受けています。日本のカルチャーなども横断的に話せるだろうということで、登壇を依頼しました。

USデジタルコミュニティーの最前線と日本の可能性

ケヴィン・リン（ex Twitch）／アカッシュ・ニガム（Genies）／鳩山 玲人（鳩山総合研究所）

■デジタル世界で自分を“飾って”表現すること

鳩山 玲人
（Rehito Hatoyama）
鳩山総合研究所 代表取締役

鳩 山：まずはアカッシュさんから、Geniesでやっていることや、今のトレンドをどう見ているか、そのトレンドの中で自社のサービスがどんな位置にあるのかあたりを語ってもらえますか。

アカッシュ・ニガム
（Akash Nigam）
Genies CEO and Co-Founder

アカッシュ：はい。世界的なトレンドは明らかで、誰もが「メタバース」と呼ばれるデジタル世界のエコシステムに移行していますよね。

10代の若者のほとんどはメタバースの意味さえ知らないのですが、彼らは現実世界の評価よりもオンラインでの評価を気にしています。肉体的な外見で判断される普段の自身ではなく、自分の内面にある本当の個性を要約して表現しようと、オンラインでの自分を「飾りたい」と思っているわけです。それは「本来の自分に戻る」というトレンドで、哲学的な観点でも、Z世代[*2]やミレニアル世代[*3]にみられるようになってきています。

インターネットはもともと物理的な世界での制約や制限、いじめ、脅迫といったものをすべて取り除くことができる安全な場所としてつくられました。その世界に入れば、障壁が取り払われた状態で、ありのままの自分でいられる、と。始まったころのAOL（America Online）[*4]では、キーボードに向かって自分の本当の

*2
1996年から2010年ごろまでに生まれた世代。スマホが当たり前になったデジタルネーティブの世代である。

*3
1981年から1995年ごろに生まれた世代。初期のデジタルネーティブの世代である。

*4
インターネット以前の「パソコン通信」の代表的なサービス。

気持ちや考え、感情を実際に伝えることができましたが、現在のTwitterやInstagramといったSNSのプラットフォームでは、本当の自分はさらけ出せなくなってきています。例えば15歳の高校生でもInstagramの上では現実世界の自分よりも2ランク上の自分を演出するようなことがあります。

つまり、メタバースやデジタルエコシステムやアバターによって、私たちは振り子を元に戻そうとしているんです。ユーザーはメタバースの中では、もともとのインターネットのように、より安全で安心していられて、仮名や匿名のIDを使うことで、現実世界から来るかもしれないプレッシャーに再び立ち向かえるようになります。私たちが目にしている一つの大きなトレンドがメタバースであるというだけでなく、**メタバースに伴う自己本来性や、物質的な自分とは異なる個性を表現できる**という実態が注目されているのだと考えています。

鳩 山：なるほど。ケヴィンさんはそれに対してどうか。

ケヴィン：まったく同感です。Twitchはその反対で、自分や自分の個性を、物質的な自分自身で表現することに重点を置いています。

人間的なつながりを求めるというのは匿名とは正反対なので、アカッシュさんが言う、自分が望むようになれる自由へのチャンスはとても興味深いですよね。自分自身であるが、好きなキャラクターを使って匿名になることで、自分を表現できる、と。まったく

ケヴィン・リン（Kevin Lin）
ex Twitch Co-Founder

異なるタイプの人々、つまり、InstagramやTikTok、Twitch、YouTubeなどのSNSで自分を表現したくなかった人たちに対してSNSを開放できる可能性を示しています。

これはYouTubeの台頭によって既に見られていました。実際、日本では何年も前から「Mirrativ（ミラティブ）」*5というサービスがありますが、これは時代の先端をいくものです。Mirrativはモバイルゲームのストリーミングプラットフォームで、前面のカメラを使って自分を撮影し、アニメのアバターに変身させる技術があります。

*5
スマホを使った画面共有サービス。アバターを使った機能を「エモモ」という。https://mirrativ.com/

アカッシュさんが言うようなさまざまなフォーマットにおいて、まったく新しいタイプのコンテンツクリエーターが参入してくるでしょう。自分自身を好きにデザインできるようになったことで、アニメのように忠実に再現したいと思えばそれが可能だし、巨大なパンダになりたいと思えばなれてしまいます。そういった、新しくて興味深い側面が生まれています。

それだけではなく特定の、もしくは複数のメタバースが存在すると、理論的にアバターを転送するだけで、どのメタバースでも認識されるようになります。少し自分を変えることも、コスチュームを変えることも、自分の好きなようにできます。アカッシュさんが言ったように「飾る」ため、今までできなかった方法で外見をカスタマイズできるようになるわけです。私にとって、それはとてもクールで、素晴らしいことです。これからどれほど多くの人がインフルエンサーになるのか、どれだけ加速するのか、注目したいと思っています。

鳩 山：私はハローキティのビジネスを通してインフルエンサーと付き合ってきました。2008年には、パリス・ヒルトンやレディー・ガガなどのインフルエンサーとコラボレーションしていましたが、ハローキティはしゃべらないですし、そもそもキャラクターなので、その分やりやすかったと思います。お二人は今、生身の人やインフルエンサーもアバターの世界に入るという話をしていますし、私はこれにダイナミクスを感じています。

私は長い間YouTuber向けのタレント事務所であるUUUM（ウーム）のアドバイザリーボードを務めていますが、サンリオ時代にHIKAKINさんにハローキティのグッズを提供したら、それがアリアナ・グランデさんへのプレゼントとして使われたことがありました。この当時の現象は全部アナログでしたが、今はテクノロジーを使って一般人がセレブに何かを直接届けたり、逆に消費者に直接届けられたりするようになっています。YouTuberやVTuber*6、Twitchのホストたちは、それぞれ独自の活動を展開していますが、ケヴィンさんとアカッシュさんは最近の消費者やセレブのエンパワーメントをどう見ていますか。

*6
2次元や3次元のアバターを使って動画配信や生中継をするキャラクターのこと。2018年頃から広がった。

ケヴィン：自分自身を直接表現するという面が重要ではないかと思います。つまり、**プラットフォームの仕様に合わせて自分の外見や感覚、性格をそのままキャラクターに変換し、完全に置き換えられてしまう**、ということです。セレブたちはVTuberとして、TwitchでもYouTubeでも大活躍しています。彼らはTikTokやInstagramなど、あらゆるSNSをうまく使いこなし、活用しています。

例えば、第一線で活躍するセレブを収益という観点から見てみると、スーパーチャット*7のライブ配信者の収入トップ10のうち7人はVTuberです。2次元のインフルエンサーを管理する会社もどんどん出てきていて、欧米ではTwitchにおいても同じような現象が起きはじめています。

このように、**日本で生まれ中国へと広がっていった動きが、欧米で大々的に展開されています。**インフルエンサーはお互いに協力し合ったり、グループやネットワークを形成したりしながら一緒にゲームをプレーしたり、お互いの宣伝をしたりするなど、賢い行動を取っているわけです。

しかも自分自身をキャラクターとしてアピールするための費用もせいぜい数千ドル程度ですし、なんなら初期投資は前面カメラ付きのスマホがあれば十分です。最近の技術は非常に洗練されていて、最新OSのiPhoneやAndroidスマホを使うだけで、表情の深みを捉え、キャラクターに反映できるようになりました。

TwitchのバーチャルストリーマーであるCodeMikoがその好例です。ここが非常に面白いところで、本当に彼女はセレブとして定着すると思いますよ。彼女は自分自身を「Unreal Engine」*8を使ってゲーム配信と融合させています。VTuberとして配信しながら、そのVTuberのキャラクターでゲームの中を探索できる仕組みで、キャラクターがそろっていれば、全員がゲームの中で交流でき、一緒に楽しめます。私にとってはこういう現象こそが未来なのです。映画『レディ・プレ

*7
YouTubeの「投げ銭」機能。

*8
米Epic Gamesが開発したゲームエンジン。

イヤー1』*9を見ると、人々がお金を稼ぐために、自分たちのテレビ番組をプログラムすることが大きなテーマになっていますが、現代の私たちはいつの間にか既にそうなっているんですよね。今ではゲームやコンテンツをプログラムするだけにとどまらず、与えられた空間をベースにイベントをプログラムすることもできます。

「フォートナイト」*10がラッパーのトラヴィス・スコットやDJのマシュメロと一緒に何をしたかはご存じの通りで、莫大な資金と長い時間がかかる巨大なイベントを企画し、ゲーム空間の中にセレブをプログラミングしました。そのような動きが他のコンテンツでもどんどん加速しており、本当に大きなトレンドになると思いますよ。

それから、デジタルヒューマンにも注目しています。テレサ・テンという台湾の有名な歌手がいて、残念ながら彼女は既に亡くなっていますが、Digital Domainという企業によって最近コンサートを開催されました。非常にリアルなコンサートとして、誰かを生き返らせることができるなんて、まさにクレージーだなと思います。

鳩 山：なるほど。アカッシュさんはこれを受けてどうですか。

アカッシュ：とても興味深いですよね。私は、人間にはIP*11を創造する力があり、それは自分自身の拡張であり、時間がたてば物理的な自分よりもはるかに価値のあるものになり得ると思っています。

*9
2018年に公開されたSF映画。映画の中で「オアシス」というVR世界が登場する。

*10
Epic Gamesが開発したオンラインゲーム。

*11
Intellectual Property＝知的財産。

ケヴィンさんが言ったように、突然、ゲームやテレビ番組などに自分自身をプログラミングできるセレブが現れるようになったとすると、物理的な制約を受けている自分とは別に、同時に数千カ所に存在する自分を作ることができるのでは、という考えが生まれるでしょう。こうしたデジタルエコシステムにおいて、人々は自分自身の拡張とデジタル世界のアイデンティティーに夢中になります。なぜならデジタルアイデンティティーは物理的な自分自身ではできない、とても多くの方法で空想的になれるからです。時間がたつにつれ、人々がジャスティン・ビーバー本人よりも、ジャスティン・ビーバーのアバターに夢中になるようになれば、セレブにとっては現在よりもはるかに多くの収益化のチャンスが開けるでしょう。

その良い例が、NFT市場です。皆さんNFTという言葉をよくご存じでしょうが、それでも私から改めて伝えたいのが「NFTは絶対になくならない」ということです。NFTはインターネット全体にとっても、SNSよりもはるかに大きな存在になっていくと思います。**NFTは、芸術的なフォーマットだけに限らず、あらゆるデジタル体験をリアルなものにする能力を持っています。人々がこれまでにない方法で、お互いにつながることができるようになるのです。**

実際、セレブやスターは、この可能性を理解しはじめています。これまでのセレブが物理的な世界で収益を得る方法は、2つか3つくらいしかありませんでしたよね。

歌手のショーン・メンデスを例に取ると、彼は

Instagramのページを持っていて、まず第1の方法としてInstagramのページでフォロワーに対して広告を出すことができます。第2の方法はコンサート。ショーンは物理的な自分を使い、コンサートを開催できます。そして第3の方法はアルバムのリリースと販売です。以上がこれまで一般的な3つの方法であり、物理的な商品の定番です。

一方、NFTではショーンのあらゆる決定的瞬間を細かく分けて、それを収益化できるようになります。現在でも無料のコンテンツがたくさんありますよね。例えばある時、ショーンがロサンゼルスのレストランで食事している様子がファンに撮影されていました。彼が白いシャツにコーラをこぼしたのですが、その瞬間の映像を、自分だけのものにしたいというファンは必ずいます。しかし、この動画がいくらネット上で話題になり、SNSで話題になっても、ショーンはそれで金銭的な利益を得ることはありませんでした。それが突然、NFTでは可能になるわけです。セレブがNFTのコンセプトに基づいて収益化したり、様々な収益化の方法を生み出したりできるというのは実に興味深いことだと思います。

それからセレブがアバターを使ってより大きな影響力を持つのと同時に、私はマイクロインフルエンサーとマイクロセレブが増えると考えています。セレブになるのがずっと簡単になるからです。現実世界でセレブになるのは大変で厳しい世界ですし、セレブになった人が何か弱気になったとして、物理的な自分を使って弱音を吐くのはなかなか大変なことです。しかしアバターは違います。自分のエネルギーと個性をすべて注ぎ込んでアバターを作り、ときには弱音を吐かせてもいいわけです。

■デジタル資産に有用性を持たせ、一般化させるための課題とは

鳩 山：面白い考え方ですよね。話を少しユーザーに向けて幅広く考えていきましょうか。お二人はユーザーサイドのデジタル資産をどのように考えていますか。また、そのようなデジタル資産を購入する人々をどのように見ていますか。

例えばBeepleによるアートピースのコラージュ*12がNFTによって6900万ドルにもなるという驚異的なことが起こる一方で、ユーザーがNIKEやJordanをデジタル資産で購入し、本当に身に着けてくれるかどうかという疑問もあると思います。アカッシュさんはこれらの業界に近いところにいますが、普通のユーザー、普通のZ世代の人々、あるいはもっと多くの大衆がデジタル資産を消費する姿勢をどのように見ているのでしょうか。

*12
Beepleというアーティストが、それまで制作してきた画像をモザイク状に並べたデジタル作品。NFTとしてクリスティーズのオークションにかけられた。

アカッシュ：まず、私はアバターの会社を経営しているので、多少偏った見方をしていることを断っておきます。

とはいえ、今からお話しすることは皆さん既に分かりきったことではないでしょうか。私の意見として、実際ユーザーにNFTやデジタル資産を購入してもらうには、有用性を持たせるのが一番だと考えています。人々が今NFTを購入しているのは、それがトレン

ディーでクールと思われているからでしょう。正直なところ、今もし私がこのカップを買い、NFTのマーケットプレースであるNifty Gatewayの枠を手に入れ、このカップがそこで10万ドルになったら、それはいいこととは言えないと思います。しかしそんな風潮が今の景気の特徴です。

私はNFTに多くの有用性と可能性を感じていますが、NFTを活用するための完璧な手段はアバターであり、アバターは、非暗号資産とカルチャーの間の溝を埋めるものだと考えています。つまり、ジャスティン・ビーバーがアバターをさまざまな形で活用できるだけでなく、消費者がジャスティン・ビーバー自身のアバターからデジタル資産を受け取り、自分のアバターや、自分が関心を持つソーシャルサークル、コミュニティーで使用できるようになります。このように体験に参加できるようにすることが、最終的にデジタル資産の有用性を高めることにつながるでしょう。

例えばジャスティン・ビーバーはGeniesのアバターを使ってクリスマスアルバムや新曲などを発表しました。もし彼のファンが自分のアバターを持っていたら、ジャスティン・ビーバーはこれからも同じように、Geniesでアルバムにまつわる発表をするでしょう。それに加えて彼は、自分のアバターが身に着けたデジタルグッズを限定・独占販売し、ブロックチェーン認証機関でのみ入手可能な本物だ、とも発表できるようになります。そうなれば、ユーザーは自分のアバターでこれらのデジタル資産を購入し、仲間内でそれを売ったり、取引したりできるようになります。ティーンエージャーにデジタル資産の購入を理解してもらうためには「今NFTを買っておけば、4カ月後には投資した金額の4倍のリターンが得られるよ」といった投資的な価値を話しても意味がないんです。

ですから、デジタル資産の購入に関心を持ってもらうためには、彼ら自身のオンラインでの評判が高められることが重要なのです。

■デジタル資産の発展の背景には複数のトレンドが作用する

鳩 山：エンジェル投資家の天才であるケヴィンさんの考えはどうだろうか。ゲーム界のトレンドが他の業界に波及して発生しているのを見ているのではないかと思いますが、ユーザーにとってのデジタル資産という可能性をどのように捉えていますか。

ケヴィン：アカッシュさんが言ったことすべてに同意ですね。何が起こっているかを究極に表現していると感じます。アートに関して少し加えるならば、メタバースを考えるとき、自分を表すアバターをフルカスタマイズ機能で持つことだけでなく、ある時点で、そこに自分の家を持つことになるんじゃないかと考えています。そして、一般的な家と同じように、家の中に何かを集めはじめると思います。それはおもちゃかもしれないし、絵画かもしれないし、何でもいいのです。正直、NFT購入に関する最近の動向は少し異常ですが、これは、いわば購入したものをどう展示するかという、「物理的な表現」の探索なのではないかと思っています。購入したデジタルアートで、自分を表現することができるように、現実世界でディスプレーデバイスや、ハードウエアをつくろうとしている企業もあります。

なぜ私がデジタルアートにひきつけられるか考えてみると、伝統的なアートの世界は、実は真に民主化されていないからだと言えます。大きな組織が「今何がクールなのか」を恣意的に教えるような体制になっている面があるからです。サザビーズが「これは注目の新進アーティストだ」と言えば、突然みんながそれに気づきはじめる……というより、引っかかってしまうわけですね。NFTが可能にするのは、セレブとファンの直接的な関係であり、ファンは何がクールで、何がクールでないかを決められるようになります。アーティストであれセレブであれ、クールなものをつくれるかは良い仕事をするかどうかにかかっています。今はその初期段階にいるのではないかと思っています。

実際、NFTの芸術作品は「まあ、アリなんじゃない」程度のものが多く、迅速さの方が重視されています。どうなるか分からない市場なので、大金は投資しないですしね。それでもこれまでのところかなりうまくいっているとは思いますが。

もう一つの側面はビデオゲームです。これは当然と言えば当然なのですが、多くのゲームでは、利用規約に従っているかどうかにかかわらず、トレーディングが行われている。あるビデオゲーム内で購入したり、獲得したりしたアイテムを取引するためのブラックマーケットが存在していて、このような取引は既に行われています。NFT技術を駆使したビデオゲームが登場しはじめ、それがさらに加速していて、これはエコシステムの一部であり、ゲーム経済の一部になっています。いわゆるアーリーアダプターがより多くの利益を得ることができます。ゲームがヒットする前にいち早く参加し、セレブやインフルエンサーをフォローして、SNSで可能な直接的な関係を築くのと同様に利益を得られますし、他の場所でNFTの取引をするのと同様に、ゲーム内で取引することで利益を得ることもできます。ゲームが進行するにつれ成長し、誰もが欲しがるクールなスキンやアイテムを手に入れ、利益を得られるのです。それが売れたら、売った本人はもちろん、ゲーム会社にもクリエーターにもお金が入ります。ゲームアイテムのエコシステムとしては、非常に優れています。

鳩 山：なぜこのようなことが起きているのでしょうか。ビットコインにも同じようなことが起き、高騰していますし、多くのブロックチェーン企業が上場し、私がベンチャーパートナーを務めるSozo Venturesの投資先でもあるCoinbaseは近々上場するという報道も出ています[*13]。NFTだけに起こっているわけではないですよね。これは、ユーザーやセレブ、あるいは特定の人たちからのDXのニーズがあるからなのか。それとも、根本的な技術の変化なのか。これらが起きている理由として考えられるものがあれば伺いたいです。

*13
Coinbaseは暗号資産の取引所。2021年4月にナスダックに上場した。

ケヴィン：さまざまなトレンドが影響していると思います。第1のトレンドはPayPalやSquare、Coinbaseを使えば、ビットコインやイーサリアムといったデジタル通貨や、暗号資産を簡単に購入できることです。

第2のトレンドは個人投資家の増加が揚げられます。Robinhood*14によって、より多くの人が株取引を始めました。プット・オプションなどの機能も開放されており「自分のお金を投資できるんだ、簡単に投資ができるようになったんだ」と楽しむようになりました。このような行動は、全般的に暗号資産にも反映されていると思います。

*14
米国の証券取引アプリ。取引手数料なしで株式を売買できる。

第3のトレンドは「みんなが話題にしている」ということでしょうね。イーロン・マスクさんもこれについて話し、みんなも同様に話している。誰もが彼のようなことをしたい、他のセレブのようになりたいと思っています。

そして第4のトレンドは良い意味でも悪い意味でも、パンデミックの影響でシステムに大量の資金が投入されたことでしょう。報道によれば、以前よりも稼いでいる人々も実際にいるようです。悲しいことですが、米国や他の先進国の、貧困ラインがどれほど高いかを考えてみてください。それにもかかわらず大量のお金が投入されており、米国だけでも、なんと6兆ドルほどになります。さらに今ではRobinhoodのような新しいツールや暗号資産を購入するためのオプションが用意されており、人々はこぞってそこに参加しているわけです。

ほかにも悪質なことが起こっているのは確かでしょう。たくさんのお金が動き回っていることから、マネーロンダリングが行われてもいます。しかし、今回の特徴として個人投資家が中心になっているように思われます。カルチャーとしても、既存の金融システムに対する根本的な失望感や、信頼の欠如があり、多くの人がより公平で自由な金融システムを求めているのでしょう。それを約束しているのが、自分で所有でき、使用を制限されないグローバルな通貨であるビットコインなのだと思います。今日でさえ1日に引き出せる金額を銀行が決めていて「残念ながら今日はお引き出しいただけません」と断られるのはばかげていますよね。自分のお金なのに。金融システムに対する根本的な不信感が、世界的に高まっているのだと思います。

鳩 山：アカッシュさんの目から見るとどうでしょう。

ｱｶｯｼｭ：ケヴィンさんが言った通りだと思いますよ。おそらく世界中のほとんどの人にとって、非常に威圧的に見える暗号通貨やブロックチェーンなどは、長い間タブー視されてきました。「NFT」という3文字の略号が親しみやすいとは言いませんが、NFTのコンセプトの対象は、ビジュアルであり、デジタル資産です。

　ここ15年間にゲームがトレンドになり、突然クールになりました。デジタルグッズやビデオゲーム内での物品の購入、デジタル資産は人々にとって親しみやすく、消費しやすいものになったのです。NFTはそれ自体新しいことではないのですが、人々に暗号資産の概念を理解してもらい、その概念をより身近に感じてもらうために、NFTは素晴らしいきっかけになっていると思います。イーサリアムはおそらくより現実的な選択肢であり、暗号資産としては少なくとも応用力があり、長続きすると見ています。

　ビットコインは燃料や情熱のようなものですよね。たまに、ビットコインを買う人は「私たちは分散化されるべきだ」と主張するために買っているのではないかと思うことがあるくらいです。一方イーサリアムはさまざまなアプリを構築できる実際のプラットフォームだ。これが世界のトレンドであることは明らかでしょう。NFTは多くの人が思っている以上に、暗号資産に対する人々の批判的な思想に大きな影響を与えたと思っています。

■急成長するゲーム業界とコミュニティーの拡大

鳩　山：続いてケヴィンさんにTwitchでの経験を伺いたいと思います。あなたはTwitchのプラットフォームをほぼゼロから作り、それをAmazonに売却し、さらに巨大なプラットフォームに作り上げるという非常に大きな仕事をしています。Twitchでの経験、特にUXや業界のDXについて、詳しく聞かせていただけますか。

ケヴィン：はい、それはもう驚きの連続でしたね。UXの観点から考えると、Twitchはもともと「Justin.tv」というライブ配信サイトでした。Justin.tvはジャスティン・カン、マイケル・ザイベル、エメット・シェアー、カイル・フォークトの4人で始めたサービスで、もともとはジャスティンの生活を24時間365日配信するライブストリーミングのプラットフォームでした。そのコンセプトを一般ユーザーにも拡大し、誰でもどこからでも配信できるようにしていったという流れです。

しかし私たちは、当時ユーザーとはあまり話をしていなかったんです。自分たちの頭の中で、製品はどうあるべきか、クリエーターはどうあるべきか、クリエーターにとって何が役に立つのかを考えていました。そして、2009年ごろにゲーム業界の調査を始めてから、ジャスティンと私はMajor League Gaming*15や、ゲーム会社のさまざまな人たちと話をするようになりました。

*15
米国でeスポーツ大会を開催・配信する会社。

しかし、ゲーム業界で何かを始めるには少し早すぎると感じていました。実際にTwitchがスタートしたのは2010年です。その過程でクリエーターと話すことを学び、YouTubeや他のプラットフォームの配信者、そして自分たちのコミュニティーにも働きかけていきました。

Justin.tvには、ゲーマーが配信を行う小さなサブコミュニティーがあったのですが、2008〜09年に、彼らと話しているうちに「ああ、彼らは自分たちが欲しいものを知っているんだな」「少なくとも、現在のプラットフォームに何が足りないのか、何が問題なのかをある程度理解しているんだな」と我々は気づけました。そして、私たちはユーザーインサイトを基盤にした製品を開発する方法、また、彼らを会話に引き込んでいく方法を学ぶことができたわけです。

単純なことのように思えますが、「ユーザーと話す」ことを多くの企業はまだ実行していないと思います。多くの企業は、ユーザーから率直なフィードバックを得るコツを知りませんし、そのようなトレーニングを受けていない人にとっては難しいことです。往々にして、質問をする人は既に頭の中に先入観があり、ついバイアスをかけて質問してしまったり、答えを曲解してしまったりします。だからこそ、どうやって会話をするか、良いフィードバックを得るか、実用的なフィードバックを得るかということが、私たちの学んだ最も重要なことの一つでした。私たちはフィードバックをもとにすぐに改善に取り掛かり、ユーザーに「フィードバックを反映しました」もしくは、「こういう理由で反映しませんでした」と説明しましたし、解決しないときはユーザーに追加で質問することもありました。

DXに関してはTwitchの成長期、特に創業期にはさまざまなことが起きていました。Twitchを始めたばかりの2010～11年には、ゲーム会社はYouTubeとの付き合い方がまったく分からないようでした。基本的にゲーム会社はYouTubeを拒否するような態度を見せており、任天堂、Electronic Arts、Epic Gamesは「うちのゲームは使わないでほしい」と言っていました。Twitchはこのような時期にゲーム市場に参入したので、ゲーム会社がライブストリーミングに参加したがるか不安だったことを覚えています。しかし彼らと会い、一から関係を築いていくうちに「私たちが考えているのはそんなに変なことではなく、あなたたちにとって有益なことなんです」と伝えられるようになりました。「人々がゲームをしなくなるわけではない。ゲームを見ているんですから」と話し、案の定、10年後にはその通りになりました。

人々は今もなお、かつてないほどの勢いでビデオゲームを購入していて、最も急速に成長しているエンターテインメント業界、あるいは最大のエンターテインメント業界ですし衰える兆しはありません。その潮流において、私たちはエコシステムで一定の役割を果たし、ゲーム市場を支援したと感じています。また、ゲームがユーザーとよりよい深い関係を築くためのマーケティングオプションを開発し、最終的にはゲームブランドの寿命を長くすることに貢献したと思います。

私は本当に多くの人と話をしましたが、どのゲーム会社も口をそろえて「できるはずない」と言っていました。だから私は「どうするかはあなた次第です、あなたのIPですから。残念ですが、ユーザーにTwitchを使わないように言ってください」と伝えていたのですが、面白いことに結局誰もそうしなかったのです。そんなゲーム会社とも、時間をかけて良好な関係を築いていくうちに、「Twitchは貪欲なのではなく、ただ楽しいことをしようとしているだけ。それがゲーム会社を助けることになる」ということを理解してもらえました。

そしてもう一つ明らかな変化は、ライブストリーミングが定着したことです。とても魅力的なメディアで、まるで実生活の中でクリエーターと一緒にいるかのように感じられます。ユーザーはクリエーターと一緒にいて、その人がどんな人なのかを根本的に理解し、コミュニティーをつくり、内輪ネタや昔話で盛り上がったり、「これが起きたときに私はそこにいた」と誇らしく思ったりなど、あらゆる側面で深い関係を築いています。

Twitchのユーザーは1日に平均90分視聴しており、これはNetflixやYouTubeの1日における視聴時間よりも長く、人々はTwitchに非常に多くの時間を費やしています。「誰かがそばにいるような心地よさがある」という声を、視聴者からたくさん受けています。特にパンデミックの間は、なんとTwitchのトラフィックが2倍になりました。

強調したいのは、Twitchのようなプラットフォームは、視聴者とセレブの関係性を深めることができるという点でしょう。Twitchは登録制プログラムを開始した最初のプラットフォームの一つだと自負しています。視聴者が直接クリエーターやセレブなどのスポンサーになるプログラムです。クリエーターのフィードバックによって導入されたもので、当時はネットでユーザーから寄付をもらうシステムがたくさんありましたが、「これを使うと誰も得をしないと思うので、あまり好きではない」という声など、倫理として「使いたくない」という意見が多かったのが実情でした。つまり、人々は「お金を与えたい」と思っていることに罪悪感を持っていたのです。そこで私たちは、より深みのある商品に変えることで罪悪感を払拭しようとしました。例えば、視聴者にとっての「報酬」をTwitch内で使えるスタンプや、お気に入りの配信者と一緒にプレーする権利に変えることで、スーパーファンのような関係を築ける、といった手法です。これは実際にうまく行きましたし、そのように革新的な取り組みを行った、最初の企業の一つだという自負はありますね。

鳩 山：いいですね。まるで昨日の出来事かのように熱気が伝わってきます。とはいっても大変な時期も多かったんじゃないでしょうか。

ケヴィン：たくさんありましたよ（笑）。タイミング悪くサイトがダウンするようなことも。

一番大変だったのはやはり資金面でしょうね。会社が急成長している時期、技術的なコストや、CDN[*16]の料金などインフラに必要な費用が急増していました。資金が尽きかけたことも数回あり、一度だけ、従業員に翌月の給料を払えるかどうか分からないところまで経営が危なかったときもありました。幸運にも、ある取引が私たちを救い、難を逃れることができたのですが苦難の連続でした。

資金調達は本当に大変なことですよね。2011年に資金調達を始め、12年にクローズ、13年に再び資金調達を行いました。しかし、誰も私たちの話を信じてくれませんでした。投資家たちからしたら、エンゲージメントの話や、成長の速さは関係ないのです。私たちは、インターネットにおいて18カ月間連続で最も急成長しているウェブサイトだったと自負しているのですが、それでもベンチャーキャピタルは「ばかばかしい」「ビデオゲームをしているのを見る人なんていないよ」と一蹴しました。もちろん自分たちの売り込みが下手だったということもあるのですが、彼らの世代がゲームをしていなかったのが一因だと途中で気づきました。実際、ゲームは汚名を着せられているもので、ビデオゲームは時間の無駄、人生の無駄遣いと考えら

*16
contents delivery network。動画などの大きなデータをインターネット上で効率的に配信するためのネットワーク。

れていたわけです。

しかし今、ゲームはクールな存在になりました。そのことで資金調達が非常に容易になり、企業の株価を驚異的に高められるようになりました。そこに至るまでの期間が一番大変でした。

採用も同じ流れをたどりました。Twitchになってからは採用がとても簡単になりましたが、以前は苦労していました。「ゲームはクールだ」と思われるようになり、大勢のエンジニアや、プロダクトマネジャー、コミュニティーの人たちがパートナーシップや事業開発に参加したいと言ってくるようになりました。それで、ずっと簡単になったのです。

他の苦労でいうと、やはり売却ですね。これは非常に難しい決断ですが、それでも今までなんとか成功してきたことは、とても恵まれていると思います。振り返ってみてもやはり一番のストレスは、お金がなくなったことですね。

鳩 山：ケヴィンさんはY Combinator（YC）*17に客員パートナーとして参加しており、YCにはあなたの仲間がたくさんいますよね。その中であなたの経験は、投資や新しいものを見いだすことに直結して貢献しているのだろうと私は思っています。あなたの経験やTwitchにいる仲間たちは、価値ある投資をしたり、新しい会社を見いだしたりすることにどのように役立っていますか。

*17
シリコンバレーの代表的なベンチャーキャピタル。特に創業直後の企業を支援するシードアクセラレーターを担う。

ケヴィン：YCについては2回の客員パートナーバッチを行いました。実はこのバッチは台湾に来てからしていないのですが、それでも本当にたくさんのことを学びました。彼らがしていることはちょっとクレージーで、3カ月で300社以上の企業を調査しています。そして、創業者たちがよりよい起業家になれるよう、本当に素晴らしいトレーニングを行っています。この経験を通して、私自身多くのことを学びました。

結局のところ、私が本当に見ているのは創業者たちです。これは誰もが言うことで、何も新しいことではないのですが、改めて言うほど本当に重要なことです。創業者が自分のやっていることを理解しているかどうかだけでなく、把握力、コミットメント、情熱があるかどうか、また投資家として彼らとうまくやっていうえるかどうかも重要なことです。私が会う創業者の中には、本当に素晴らしい人がたくさんいるのですが、それでも「この人たちとうまくやっていけるだろうか」と思ってしまうこともあるのです。チームで作り上げるものや、共通の目標に向かって得るような達成感がないのは寂しいことですよね。

投資には基本的に二つの側面があると思っています。一つは自分が知っている世界、もう一つは自分が知らない世界です。私は世界中で投資を行っていますが、私が知る世界といえば、ゲーム、ゲームテクノロジー、メディア、音楽、NFT、メタバースの6つ。最近はメタバースの会社が多く、これはとても面白い流れだと感じています。今後しばらくはこれらのゲーム会社が台頭してくるのではないかと思います。比較的メジャーなRoblox*18や、マインクラフト、フォートナイトもクリエーター主導で、もちろんその一つに

*18
ユーザーがプログラムできるゲームプラットフォーム

なっています。人々がこのような場所に集まりつつあり、私もそれを楽しんでいます。

■世界中に広がる日本の特異なカルチャー

鳩　山：ケヴィンさんは新型コロナウイルス感染症がなければ日本に頻繁に行っているということだし、アカッシュさんは日本への進出や興味、日本企業との提携、商談などかなり話をしていると聞いています。おのおの、日本からどんなインスピレーションや影響を受けているか、話してもらえますか。

アカッシュ：私は日本とアジアを念頭に、1年ほど前に東京にオフィスを構え、バンダイナムコやミクシィなどの多くの企業から投資を受けました。

　パンデミック前の数年は4週間ごとにアジアに行っていたんです。NFTや暗号資産、インターネット、アバター、メタバースの強大な力をどのように活用すれば、このカルチャーを理解し、浸透させられるのかを知ろうと努力を重ねていました。正直なところ、日本はかなりシャイなカルチャーで、インドなどの場所とよく似ていると感じています。例えば、日本で出会い系アプリはいくらかタブー視されていて、あまりはやらず、クールではないと見られていたり、使っていることを隠したりしますよね。そのため、アバターやメタバースを利用し、定着するようになるには、時間がかかりそうだと思っています。時がたってアバターやメタバースなどを利用できるようになれば、この地域の人々の自然な交流の在り方にプラスになるのではないでしょうか。

アニメは日本で何十年も、あるいは、それ以上に長い間存在しているので、非常に一般化したプロセスです。その感覚や文化からするとアバターやメタバースなど、ファンタジーの世界に住むこと自体は、それほどとっぴなことではないはず。ゲームもかなり前から普及しています。つまり、日本がこれらのコンセプトを取り入れるのは、日本人の行動様式や昔からのやり方とすると、とても自然な流れなのです。

日本におけるNFTは、ある時期からあっという間に普及しました。最初はとてもゆっくりとした動きだったのを覚えていますが、ここ1カ月で爆発的に広がりました。鳩山氏はハローキティでの経験をお持ちなので良くご存知だと思いますが、日本は既にコレクター気質があり、価値あるIPを様々なコンテンツや収益方法に結びつけられると思います。

鳩山：ケヴィンさんはどうでしょうか。

ケヴィン：まず日本には多くのカルチャーを生み出してきた実績があります。ビデオゲームは世界には以前から存在していたが、日本では世界に対して、特に「誰かと一緒にゲームをすること」を広めましたし、任天堂がこの新たなビデオゲームの流行に大きく貢献しました。

そしてアカッシュさんが言ったように、日本にはアニメ文化もあります。アニメは現在、中国、欧州、米国、あらゆるところで人気があるものです。若者はもちろん、年配の世代にも幅広く人気があります。アニメにおいて日本は本当に超越した存在で、日本ではあまり気づかれていないかもしれませんが、米国人がアニメを始めたことにも影響を与えているし、バーチャルセレブのトレンドにおいても日本のアニメ技術は完全に他国を超越しています。

例えば、初音ミクはその分かりやすい事例でしょう。アニメの世界のキャラクターではなく、いわば一人の人間として生み出され、そこからバーチャルアイドルの世界に派生していった存在です。このような形で、日本は時代の先取りをしていることが多いのです。多くのトレンドは欧米や他の地域に波及するまで何年もかかるのですが、日本はそれまでに長い間あらゆることを試してきた経験があるため、突然「よし、長い間取り組んできたことを実現するための完璧な媒体を見つけたぞ」ということになり、一気に広まるのだと思います。VTuberはまさにこの1例でしょう。突然、ライブストリーミングと相性がいいのだと気づき、一つのキャラクターで何百万ドルも稼げるようなビッグベースに発展したわけですから。

これはテレビ番組を作るのとは対照的で、テレビ番組は1話当たり100万ドルから200万ドルの制作費がかかります。Netflixに売れば、利益はおよそ10%。つまり大きな手間をかけて10万ドルを稼いでいるのに対し、これらのセレブは他のインフルエンサーと同じように、自分の安全な場所から、カメラだけで稼ぐことができます。

このように日本では多くのトレンドが生まれていて、人々はより早くそれに注目するようになるでしょう。これまで話してきた世界において、日本がNFTなどを広く受け入れても不思議ではないと思います。今、世界中で人々が実験をしていますが、まだそこそこのレベルだなという感じで、面白いときもあれば、それほど面白くないときもあります。日本で何かブレークスルーが生まれるかもしれません。

その意味でアカッシュさんがしていることは、明らかに魅力的ですよね。日本がこれまで学んできたことを融合させて、何かで圧倒的に優位に立ったとしても、まったく驚きません。日本はアニメで卓越した美しい物語を作ってきていますが、ここ数年では、美しいアニメで、消費者との直接的な関係を構築することに成功しています。

そして、日本のカルチャーは世界中どこにでもあるものだ、というのが最後に挙げられます。食べ物について考えてみると、例えば世界中どこに行っても寿司が食べられるように、日本食は世界中で人気があり、日本食が嫌いな人は世界中どこを見てもいないんじゃないでしょうか。ゲームの面においても、このゲームの世界が大きくなり、ゲーム会社がさらにクロスオーバーして、お互いに協力し始めると、とてもクールなものが出来上がると思います。それはまさしく、究極のクロスオーバーになります。そして日本にはほぼ間違いなくメタバースが存在することになるでしょう。圧倒的に広大なキャラクターの世界に入れるでしょうね。

鳩 山：ありがとうございます。日本の企業と協業する、ということを考えた時に思うことはありますか。また、日本の企業がもっとグローバルな企業として成功を収めるためにはどうしたらいいか、考えやアイデアはありますか。二人はこの領域で多くの経験をもっているわけですが、どうすれば日本企業や日本のパートナーは、グローバル企業と良い仕事ができるのでしょうか。

ケヴィン：彼らはみんな、とても良い仕事をしています。日本は世界でもトップレベルの二つのIPがあります。それはポケモンと、あなたがサンリオで手がけた作品です。これらは時代や世代を超えたグローバルなものになっていると言えますし、さらにこれらはとても実験的でもあると思います。ライセンス契約をしたり、NFTの世界に進出したりしているのですから。

私は先ほど、日本はこれまで多くのトレンドをいち早く輸出していると言いましたが、今でも日本は世界の既存のトレンドをより早くキャッチしているように感じています。私が目にする中で、日本の人々は最近本当によくキャッチアップしています。

アカッシュ：海外企業が日本でビジネスをしたいが、まだ大きなトレンドになっていないのなら、市場参入するためには日本にオフィスを持ち、人を置く必要がある、というのがポイントでしょう。よほど爆発的に売れていれば状況は違うかもしれませんが、例えばUberやSpotifyでも日本に浸透するのに長い時間を要しました。

この点ではパンデミックには利点もあると思います。というのも、以前は日本やアジアで取引をしようとしたら、電話会議でも済むのに、どうしても文化的に対面が好まれ、飛行機に乗り、私たちのチームを現地に連れて行ってから、会議をしなければいけませんでした。つまりGeniesの新スタッフを日本にわざわざそろえてから話し合っていたわけです。「X、Y、Zのエコシステムにゲniesを導入できるようにしたい」と。パンデミックで良かったのは、そのようなことが一切なくなったことです。もちろん、日本はある程度オープンになってきましたが、今でも少し閉鎖的な部分もあると思います。

おそらく、日本は多くのトレンドを捉えているはずです。日本のコミュニティーは熱狂的、ハングリーで情熱的なため、トレンドが気に入ればみんな大騒ぎするでしょう。とてもポジティブで、元気の出るコミュニティーでもあるのだから。海外のコミュニティーと比べて辛口ではなく、ネガティブでもないので、多くのトレンドが前進するのに役立っていると思います。それにしても、日本でもっと早くに起こるべきトレンドもあったんじゃないかと思うのですが、そうならなかったのは「対面式であること」「自社で抱えるクリエーティブなスタッフがいること」にこだわっていたからだと私は見ています。

そして、日本で爆発的にヒットしたClubhouse*19は注目に値するものです。スタッフも、現場の人間もいないのに、です。ヒットした大きな理由は、パンデミックとバイラル効果にあるのでしょうが。それでも、いまだにほとんどの企業は現地でオフィスや店を構えなければならないのが現状なので。

*19
スマホ用の音声SNSサービス。2021年1月頃からブームになった。

■世界は日本市場をどう見ているか

鳩 山：お二人の経験や知見の共有はとても有意義なディスカッションになりました。最後にお二人から、日本の人々にメッセージをお願いします。

アカッシュ：Geniesが第二の拠点を日本に置いたこと、東京を選んだのには理由があります。このディスカッションで、日本の人たちには元気をもらっていると話しましたが、日本の人たちはポジティブで、他にはないユニークな方法で新しいアイデアやトレンドを歓迎してきてくれました。こうした文化は、それがアニメであろうと、別の新しい世界であろうと、私たちにはとても魅力的なものです。ぜひ日本のパワーを発揮し続けていてほしいと思います。

ケヴィン：私もアカッシュさんと同じです。2012年か13年に日本にオフィスを開設し、採用を始めましたが、すぐに魅力的な職場になりました。日本の視聴者がどのようにクリエーターと交流しているのか、深く知ることができたのです。それにより、世界中でよりよい仕事ができるようにもなりました。

　この分野に興味を持ち、起業家になりたいと考えている方がいたら、私が言えることは「挑戦してみてください」ということです。興味深いことに、私の母国の台湾ではスタートアップへの意欲は旺盛ですが、それを実現する手段は多くありません。そのためのインフラがあまりないからです。そのため創業者は、投資家や政府関係者など、あらゆる人とのネットワークを構築して、会社設立の裏表を理解しなければいけません。

しかし、日本は欧米、特にサンフランシスコ、ロサンゼルスなどへの架け橋に成功したことで、日本のカルチャーに対する海外からの要望や関心がこれまで以上に高まっています。先ほど言ったようにゲームは既に大きな存在ですが、アニメは世界をのみ込んだようなものです。そしてそれは、とてもクールなことです。今やアニメを見ることがなかった人たちまでもがアニメを見るようになりました。忘れてはいけないのは、日本や、日本のカルチャーがあらゆるところで盛り上がっているということです。そしてそれを大切にしてほしいと思います。

鳩　山：素晴らしいですね。日本にもまだまだ魅力があり、エンターテインメント業界、テクノロジー業界の最先端を行っている人たちからも、このように日本の市場も含めて支持されているというのは、すごくいい話でした。ぜひみなさんでこの業界を盛り上げていきたいなと考えています。

セッションの見どころ

このセッションで最も知的にエキサイティングなのは、メタバースやNFTといった最新の用語が多用されながら、分かりやすく語られていく点でしょう。「完全にデジタル前提になった世界」に生きている人たちの視点で語られていくので、私は正直「世界最先端から見ると、アフターデジタルはやっぱりもう古いんだよな……」と思ってしまいました。

アバタープラットフォームを展開し、ジャスティン・ビーバーなどのアバター向けオリジナルグッズを、数量限定でコピーできないデジタル資産（まさにNFT）として制作するアカッシュさんは、今の世の中をこうまとめます。

「インターネットはもともと、物理的な世界での制約や制限、いじめ、脅迫といったものをすべて取り除くことができる安全な場所として作られました。インターネットの世界に入れば、ありのままの自分でいられる。ですが、ここ何年にもわたって、従来のSNSのプラットフォームでは、そのようなことはなくなってきていると思います」

「ですから、メタバースや、デジタルエコシステムやアバターによって、私たちは振り子を戻そうとしています。仮名や、完全に匿名のIDを使って、現実世界から来るかもしれないプレッシャーに、再び立ち向かえるようになるのです。根底には、メタバースに伴う自己本来性、さらには物質的な自分とは異なる自分の個性を表現できる、という概念があると考えています」

これに対して、ゲーム実況という市場を切り拓き、「ゲームをやる」のではなく「ゲームを見る」という行動を世に創り出した張本人であるケヴィンさんは、このように言います。

「Twitchはその反対でした。自分や自分の個性を表現することに重きを置いていて、カメラを使って自分を映しながらゲーム実況をしてコミュニティーを作っていました」

「私も、アカッシュさんが言っているような、自分が望むようになれる自由へのチャンスにとても興味があります。つまり、自分自身であることに変わりはないのですが、匿名になることができるのです。好きなキャラクターを使って自分を表現できます。まったく異なるタイプの人々、つまりSNSで自分を表現したくなかった人たちにSNSを開放することができるのです。これからどれほど多くの人がインフルエンサーになるのか、とても興味があります」

これらの議論は、PCインターネットからモバイル、OMOという社会変化とはまた異なる視点で見た、「人々の自己の在り方がどのように変化しているか」というテーマを取り扱っています。こうした「人の内面に関わるトレンド」は、UXの企画の方向性を大きく左右するものです。特に企業のビジョンや世界観、サービスやビジネスのコンセプトを打ち出すような企画では、人々の価値観を大きく左右するトレンドの理解が不可欠になってくるのです。

ここで語られているのは、以下のような変遷と言えるでしょう。

- もともとインターネットには、実生活の自分とはまったく異なる匿名の人格を手に入れて、「現実世界の圧力」から自由になる、という機能があった
- しかしSNSやID統合などにより、インターネット上であっても第二の人格では過ごしにくくなったり、誹謗中傷などのネガティブな影響が発生しやすい状況になったりなど、「現実

世界の圧力」が復権してしまっている
- メタバースやNFTによるデジタルアセットは、こうした「現実世界の圧力」から再び自由を得ることを可能にする。デジタル上のアバターが自己表現力を持つことで、人種や性別をはじめあらゆる制約を取り払い、在りたい自分を表現することができる

このように、発展的に「できること」が進化していくわけですが、具体的にはどのようなことができる世の中が想定されているのでしょうか。

■アフターデジタルのさらに先にある新しい可能性

2021年になってから流行の最先端として語られるNFTについて、アカッシュさんはこう話します。

「NFTは簡単にはなくなりません。インターネット全体にとって、SNSよりもはるかに大きな存在になっていくでしょう。NFTの対象は芸術的なフォーマットだけに限りません。あらゆる決定的瞬間と価値ある側面を細かく分けて、それを収益化できるようになります。どういう意味か分かりますか？」

「例えばセレブがコーラをシャツにこぼしたとして、それがネット上やSNSで話題になります。これまではそこから金銭的な利益を得ることはできませんでした。それが突然、NFTでは可能になるわけです。ファンはその瞬間を自分だけのものにしたいと思っているので、NFTによってこれが有限のデジタルアセットになれば、購入する価値が生まれてきます。このように何千もの収益化の可能性が出てくるわけです」

このような未来は、既にジャック・ドーシーのTwitter初投稿のNFTが数億円で売られている現状からすると、すぐに起こ

りそうな現実的なものに見えてきます。実際、プロバスケットボールリーグのNBAでは、デジタルトレーディングカード「NBA Top Shot」が人気を博していますが、これは物理的なトレーディングカードと異なり、スタープレーヤーの実際のプレー動画が「自分だけのもの」として手に入るNFTです。人がお金を払う対象が、どんどん変わっていくさまが既に見えているように思います。

これは幻想ではなく、既に始まっている「アフターデジタル社会のカルチャーとビジネス」の話であることは、本当にワクワクすると同時に、その感覚についてユーザーを理解しなければならない点で少し怖い部分もあるかもしれません。なるべく自ら体験し、その楽しみ方を自分のものにしていく必要があるなと、私自身も感じています。

第3章

UX実現の方法論・組織論

3-1 共鳴する世界観

—エコシステムと社会貢献

L&UX 2021

To an Era in Which People Can Choose Their Own UX at Any Given Time

AFTER DIGITAL SESSIONS

本セッションの狙い

このセッションでは、一企業の活動から少し視座を上げて、行政やスマートシティ、MaaS[*1]などに目を向けました。「デジタルとリアルを融合させた新たなUXの社会実装」においては、個別の企業のエゴイスティックな目的とは距離を置き、「社会善のための大きな目的やビジョン」がないと、多くの人を巻き込むことができず、推進力も発揮されません。こうした実現に向けて、最前線のイノベーターたちは、どのようにして様々なステークホルダーの共感と理解を得て、どのようにして事をなしているのかが、このセッションでのメインテーマになります。

＊1
Mobility as a Serviceの略。マース。様々な交通機関をITを使ってシームレスに連携して利用できるサービス。

「MaaS」というコンセプトを世に打ち出した考案者であり、MaaSという概念を世界で初めて都市交通において実現した

実証実験しているWhimの日本版アプリの画面

サービス「Whim」を運営するMaaS GlobalのCEO、サンポ・ヒエタネンさんにはまず出演いただきたいと考え、打診したところご快諾いただけました。様々なステークホルダーがいる中で「事をなす」のがどういうことなのかを語ってもらいたいと思いました。

MaaSは、実現する難易度が非常に高く、タクシー配車などの単独サービスは多く存在しますが、複合的な交通機関によるサービスはなかなか実現例がありません。そんな中Whimは、バス、タクシー、電車やシェアリングの自転車までも全部合わせて定額のサブスクリプションで利用できます。

月額6000円程度の定額で公共交通機関が乗り放題。その中でどういうルートが一番近いかなど、日本でいうと乗り換え案内のアプリがやるようなことも実現してくれる。「定額」にできるのはすごいことで、様々なステークホルダーとの折衝や、コミュニケーションを乗り越えた上でそういう社会基盤を作っていると言えます。

では対談相手をどなたにしようと考えたときに、Code for Japan[*2]が最適なのでは、と思いました。

*2
情報技術を活用して全国の自治体やコミュニティと地域課題解決に取り組む一般社団法人。東京都公式の新型コロナウイルス感染症対策サイトの開発などで知られている。

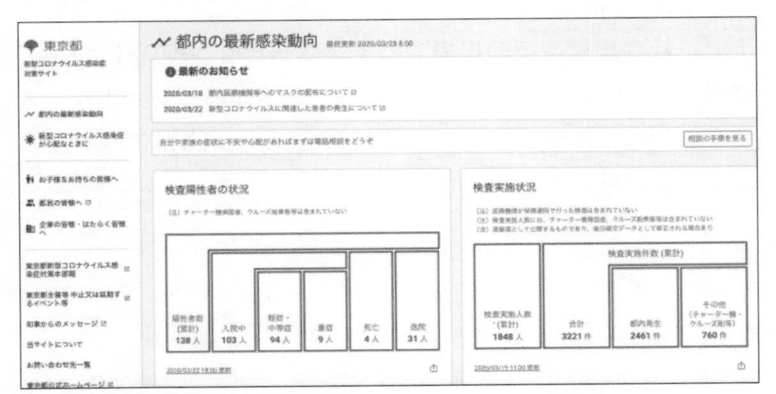

Code for Japanが開発した、東京都の新型コロナウイルス対策サイト

というのは、社会を良くするためにはビジネスにおいてもUXの考え方を入れるべきだ、と言い続けている一方で、あくまでビジネスの場合、社会的意義があってもお金の上で優先できないようなプロジェクトもあります。その意味ではシビックテックといわれ、エンジニアが社会善のために活動しているCode for Japanのような存在は、一企業ではなかなかできないことをやっている。というわけでファウンダーの関治之さんに出ていただくしかない、と思って話を持っていきました。

モデレーターは、Forbes JAPAN Web編集部の谷本有香さんにお願いしました。谷本さんはアフターデジタルの話に以前から共感していただいていて、さらに社会をどのように良くしていけるのかという視点を持って様々な活動をされています。英語も堪能で、アフターデジタルの議論、UX、ビジネス、テックが交ざっているような議論もできる方はなかなかいません。

サンポさんと関さんの話は、スタートアップも行政も、デジタルからリアルも、対極にあるような様々なトピックを高い解像度で理解していないとついていけないので、を谷本さんが適任と思いました。

まずはWhimについてサンポさんに簡単にご説明いただいた上で、社会規模や街の規模でのイノベーションやDXについて議論をしていただきました。特にサンポさんのビジョナリーさがうかがえる話や、関さんの経験や苦労から来るリアリティのある話は必見です。

共鳴する世界観
ーエコシステムと社会貢献

サンポ・ヒエタネン（MaaS Global）／関 治之（Code for Japan）／谷本 有香（Forbes JAPAN）

サンポ・ヒエタネン
(Sampo Hietanen)
MaaS Global CEO

サンポ：私はエンドユーザー向けのMaaSサービス「Whim」を運営するMaaS Globalを経営しています。私が考え出したMaaSという概念は今や世界的に知られるようになりましたが、この概念は実はかなり長い間温めてきたアイデアです。

世界はいつも「答え」を要求しますが、答えを出すにはまず正しい問題を知らなければなりません。多くの問題を知ることは、世界の経済成長とサステナビリティの最大の推進力であり、今後10年間に各都市で起こる最大の変化の源になるはずです。

「どうやってMaaSというアイデアを思い付いたのか」と聞かれることが多いのですが、「車を所有するよりもいい方法はないのか？」と考え抜いたからだと答えています。

車を所有する根本的要因は「自由」が関係しており、「全てのものから自由になるとはどういうことか」を何度も繰り返し考えています。何をするべきか、何を提案すれば地球の反対側に住む人たちに既存のものと同様にいいものだと感じてもらえるかをひたすら考えてきました。

2006年にMaaSの概念を思い付いたときにはまだ実行不可能なアイデアで、実現まで約10年かかり、2016年にやっとMaaSを提供する企業を設立できました。多くの国や都市でサービスをスタートし、MaaS

で大きな変化をもたらせると夢を見てきた国の一つである日本でも、ついにサービスが導入されようとしています。

さて、私たちにとって車とは何なのでしょうか。東京で車を所有する人の半分以上は週に1回か2回しか車を使いません。なのに、どうして車を持つのでしょうか。車の何がそれほど重要なのでしょうか。

車を所有する根本的な理由はシンプルで「個人の自由」にあります。Whimのように好きなところへ、好きなときに、何も考えずに手間をかけずに気の向くまま行けるような自由のことです。

そのためにはあらゆる移動手段が必要になりますよね。全ての電車、バス、タクシー、カーシェア、シェアサイクルやスクーターなど、あらゆる移動手段を自由に使えるサブスクリプションのモバイルパスを手にしたと仮に想像してみてください。日本国内はもちろん、世界中で通用します。

車を持つことは確かに人生の夢の一つですが、このパスなら支払いや自動車保険などのことを考えずにどこにでも行ける。これが、私たちが一から作り上げてきた理想です。つまり近隣の都市や国につながる、あらゆる扉を自由に開ける黄金の鍵を持っているようなものです。支払いを気にしたり、チケットを手配したり、複数のアプリを同時に使用したりする必要もなく、全ての選択肢がそこにある。他の車に乗りたい人には違う車を用意するし、車種がそろったガレージも提供するのです。

私がなぜ日本でのMaaSの成功を信じているのか。

それは日本には優れた交通システムがある超先進国で、島国だからです。欧州では、車があれば少なくとも6カ国以上の国に行けるため、当社のサービスも全ての国へのアクセスが必要になります。しかし日本なら国内全てのサービスを網羅すれば、マイカー所有に十分対抗できます。既に我々は三井不動産という素晴らしいパートナーを得たことで、モビリティーの次のレベルに到達しようとしています。

Whimのサービスは人々の生活が確実に、そして快適に回るようにサポートしており、暮らしの中のストレスが減るように作っています。

このアイデアは全てとてもシンプルです。この概念の生みの親として知られるようになり、世界中を訪れる機会を得て、これまでいろいろな国や地域に行きましたが、どの場所でもみんな「自由」という同じ夢を持っていました。

車は優秀すぎることが難点で、アプリで対抗するには「車にない全てのサービス」が必要になります。これが一番困難な課題でした。世界中の全てのタクシー、電車、バス、そしてカーシェアやバイクシェアなど全てのシェアサービスを統合するのは簡単なことではありません。この課題を解決するためには従来とは異なる考え方、つまり従来型プラットフォームエコノミーでは決して行われない考え方が必要でした。だからこそ私たちが必要なのです。

関 治之（Haruyuki Seki）
Code for Japan Founder

関：私からも簡単に自己紹介しますね。私は日本政府のCIO補佐官も務めており、地方自治体でDXフェローとしても活動しています。代表理事を務めるCode for Japanは、よりよいまちづくりを目指す人たちのためのコミュニティーネットワークのようなもので、一種の草の根運動のように日本のシビックテックの振興に取り組んでいます。

シビックテックとは、まちに住む人々の暮らしをよりよいものにするための新しいアイデアで、テクノロジーとオープンデータの利用促進、データの収集と活用を行い、地域のために役立てています。日本には約80のローカル版Code forコミュニティーネットワークがあり、グローバル組織のCode for Allとも関わりがあって、Code for Japanもこれに加入しています。

■テクノロジー基点で考えると「部分最適化」の罠にはまる

谷本 有香
（Yuka Tanimoto）
Forbes JAPAN Web 編集部 編集長

谷 本：日本では特にOMOを進めようと取り組まれていて、DXがバズワードになっている状況の中、私たちはテクノロジーを使えればそれでいいと考えがちです。IoTデータを連係する方法を考え、5GやAI、ブロックチェーンといった新しいテクノロジーを実用化する方法を考えるだけで十分だと思い込んでしまう傾向にあります。ですが、何より重要なのは顧客体験を向上させるために新しいテクノロジーをどう活用するのか、という順番ではないでしょうか。これについて、考えを聞かせてください。

サンポ：その通りですよね。シビックテックやスマートシティをはじめ、この種のあらゆる話でテクノロジーが最重要だと思いがちですが、**はっきり言ってテクノロジー**

そのものに価値はありません。テクノロジーを継ぎ足すことも、同じく価値はありません。

テクノロジーが発達すれば都市が良くなると考える人がいますが、これはまったく違います。私たちがテクノロジーを使うときにはそれなりの理由が必要です。人類の歴史で火を使うことが最大のイノベーションだった時代がありましたが、「最も進歩した都市とは最もたくさんの火がある都市だ」と言ったらどうでしょうか。それなら都市を丸ごと焼き払ったローマのネロ皇帝がスマートシティの先駆者になってしまいますが、それはもちろん違いますよね。

火をどのような場面で使うかが大切です。調理では使いますが、火そのものにはそれほど価値はなく、場合によっては危険にもなります。それはテクノロジーも同じです。まずは何をしたいのか、生活の中で何を改善したいのかを考え、その次に、それはテクノロジーで実現できるのかを考えます。MaaSの概念を実生活に導入しようと考えるとき、私はテクノロジーをまったく検討しません。ただ、どのような移動手段が理想的かを考えています。

一つのサブスクであらゆる移動手段が利用でき、手続きを全て代わりにやってくれる。そんなサービスが実現し、移動手段の心配がなくなれば、それは素敵なことですよね。**UXやユースケースを考えた後に初めてテクノロジーで実現可能かどうかを考える**のです。

確実に言えるのは、今あるテクノロジーから思い付いたあらゆるアイデアは本物ではないということです。**私たちの成功を妨げるのは、「ビジネスの部分最適**

化」という考えだと言えるでしょう。

例えばここにテクノロジーがあるとして、どうやったらこのテクノロジーをうまく活用できるか、どうやってこの業界をよりよいものにできるのかを考えがちです。「テクノロジー」を使って、「自分の業界」を「少しでもよりよいものに」などと、自分のビジネスだけを考えて、実社会にとってどのような意味があるのかを考えない傾向にあります。

少し俯瞰（ふかん）して見れば、誰もが同じことを考えていると気付くでしょう。現代生活での問題はテクノロジーではなく、エゴによる問題をどうやって乗り越えるかです。

よく話すことなのですが、モビリティーのような大規模な「エコシステム」には多くの場合、豊富な資源はなく、皆でケーキを奪い合う「エゴ（利己主義）システム」です。たとえケーキがない場合でも同じで、まだ卵もないのに、それでも奪い合おうとします。テクノロジーの活用における最大の課題は、テクノロジーイノベーションが十分にあるかどうかではないんです。最大の課題はそれを支えるビジネスモデルをどうやってデザインするか、誰がリーダーシップを取るのかということです。

みんな自分たちのやりたいゲームをしたいんです。私はフィンランド人なのでアイスホッケーをしたいのに、スタジアムに行くと相撲の力士が取組をしている。これでは観戦に来た人たちも困るし、私たちも困る。誰にとっても良くない状況ですよね。

新しいテクノロジーの世界で何が必要になるのかと

いうと、共通のルールを作ることだと思います。

谷本：「テクノロジーには価値がない」という話はDXに取り組んでいる大半のリーダーたちが聞きたかったエピソードではないでしょうか。「重要なのはテクノロジーをどう使いたいのかを知ることだ」という話もその通りだと思います。関さんはいかがでしょうか。

関　：まったく同感です。テクノロジーの活用について白状すると、Code for Japanを始めた2013年ごろ、私は典型的なテクノロジードリブンの技術者でした。地方自治体にデータのオープン化を要請しに行ったのですが、シビックハッカーだった私は「オープンデータはとても有益なものだから、データを公開すべきだ」と伝えたものの、一方的なメッセージだったのでうまく実現に至らないことが多かったのをよく覚えています。

今なら理由が分かります。テクノロジーそのものだけでは役に立たないので、まずは地域の将来のビジョンが何かを尋ねるべきでした。なぜこの地域のために働いているのか、市民の将来をどう考えて、そのためにどうサポートしていくのか。本当に必要なのはこうした対話でした。テクノロジーを振りかざすのではなく、テクノロジーを活用すべく根本の理由をたずね、対話から始めるという戦略に変えるようになりました。

私たちは「ものごとはテクノロジーからではなく人から始まる」と言っています。多様な視点で課題を捉え、行動に移していくためにも外部からの刺激は重要だと考えているので、テクノロジー以外の分野で活躍するNPO、教育機関、地域コミュニティーとも共同で活動し、ワークショップも開催してきました。

テクノロジー前提で問題を捉えるのではなく、本質的な課題について議論を重ね、どのように互いに協力し合えるのか。そしてテクノロジーの利用によって何が学べるのか。こういった課題について彼らと一緒に考えてきました。また、地方自治体でのテクノロジーへの理解を推進するためのワークショップも開催しています。これをデータアカデミーと呼んでおり、テクノロジーとユーザーの距離を縮める会議になっています。このようにして、自治体内でもオープンデータの有益性への理解が深まり、公開へとつなげていきました。

このようにしていくつかの事例を重ねることでうまく行き、結果として他の自治体からも少しずつ興味を持ってもらえるようになりました。「人から始める」というのは本当に重要だと考えています。

谷 本：近年では顧客体験のためにテクノロジーを使う必要性が理解されつつありますが、仮にデータを使うと言っても、日本ではデータの活用が監視社会につながるという不安も根強いように見えます。データ利用について、人々のコンセンサスや一般の理解を得るために何をすべきで、社会やステークホルダーに対して、どのようなメッセージを発すればいいのでしょうか。

サンポ：「人」から始めることはもちろん大事ですが、さらに「ワクワクすることとは何か？」も必要だと思っています。つまり、「夢」を出発点にする必要があると思うんですね。実はMaaSの概念は全て夢から始まっています。

私たちが日本で驚いたのは、嫌がらせや不正なロビー活動を一切受けたことがなかったことです。夢に胸を躍らせ、本当に実現可能なのかと考えた人々ばかりでした。人々が納得する夢であれば、本当に必要なのは何かを考え始めてくれるのだと思います。

データも同じです。この目的にはあのデータ、その目的にはこのデータ、アウトプットをきれいにするにはこのデータ、それはこうすれば取り組める、といった話も、夢を実現するためであればできるはずです。そこから企業や自治体、政府を含めた全てのステークホルダーがそろい、共同して課題を解決していくことになります。

私はこのようなエコシステムに長く携わっているので、データへのアプローチはアーリーアダプターによって完全に間違った方向へ進んでしまったと強く感じています。

なぜデータが問題になるのでしょうか。データを扱う検索エンジンやSNS、それに類する事業は、初期の頃は小規模なビジネスで、このようなサービスをサブスクリプションする人はいませんでした。そこで彼らが考え出した収益モデルは「ユーザーが提供する情報が、サービス提供企業にとっての商品になる」というもので、いわば二次的収益化の形式です。しかし、この時代は今終わりを迎えようとしています。物理的な世界が大きく変化している今、こうしたデータによる利益は月数セント程度で、昨今では値下がり続けているからです。

今はサービスを提供する方にシフトしつつあります。私はモビリティーの事業者が出そろい、「マイデータ」としてアプローチを始めれば、新しいデータ活用の方法になると強く信じています。価値のあるデータとは1人の人間が持つデータセット、データの集合体です。例えば私のマイデータの運用者がいて、その運用者に料金を支払えば、これまでと異なる商取引になります。許可を与えるかどうかは依頼者、この場合は私自身が個々に決められるとなれば、またデータに関する物事が機能し始めると思っています。つまり私は全てのデータを把握できると同時に、これら全てのサービスを実行するためにデータを流通させ続ける必要があります。

20数年間私たちが経験してきたこととして、データそれ自体が商品になるほどに価値があるかというとそうではなく、あくまで副次的なものなのです。これからは個人データを保持したままで、実際のサービスにお金を払うことになるでしょう。この変化では、政府が大きな役割を担うことになるとみています。

谷本：関さんはまさにデータ活用の活動をしていると思いますが、どのようなことをされているのですか。

関：データの問題点はデータの品質にあります。小さなデータはそのままでは利用価値がないことも多く、大量のデータを集めて互いに関連付ける必要があります。政府CIO補佐官の立場で話すと、政府機関として、各地方自治体と政府のデータ形式の統一にも取り組んでいますし、恐らくこれは企業間のデータ交換でも役立つと思っています。

現在私たちはベースレジストリと呼ばれるデータセットの標準化を進めています。データセットが標準化され、政府がこれに準拠したオープンデータを公開すれば、企業によるデータ利用も容易になりますよね。日本には多くの地方自治体があり、各自治体の全てのデータを集めて統一のデータベースを作るのは非常に難しいので、この戦略が成功し、機能することを願っています。

■「夢」を共有し、何百回でも何千回でも議論を交わすことが前進のカギ

谷 本：続いては「意思決定」というテーマで話を伺います。MaaS Globalは顧客体験を向上させるためのビジョンを通じて多くのステークホルダーの支持を得られていると伺っています。特にMaaS業界ではビジョンの実現のために幅広い人脈やステークホルダーの支持を得る必要があると思いますが、どのように成功されているのか、その秘訣を聞かせてください。

サンポ：新しいことを思い付いたら、まず適切な競合相手に照準を定めることです。例えばマイカー所有者が受けるサービスと同等レベルのものを作ろうと宣言したら、次に、Uberなどの既存のビジネスが、マイカーを持

つことに匹敵するサービスを提供できているかどうかを考えますが、その答えはノーになるでしょう。マイカーに匹敵するサービスはこの先単独では誰も提供できないと思っています。それは全ての移動をカバーして面倒を見ることはできないからです。

どんな鉄道会社、配車サービス企業も、全ての移動はカバーできないので、もっと応用の利くサービスでなければいけません。このように、「最初に共有できる夢はあるのか」「大きな市場が存在するか」「合致する市場が存在するとしたら、その中でどうすれば夢を実現できるのか」を考えます。

あとは先ほど話した通り、たくさんの議論が必要ですね。10年ほど前にフィンランドの運輸通信省でアドバイスをもらったのは非常に幸運でした。GSM[*3]の市場に関する最初の規制が作られたのがフィンランドで、彼らは同じ規制が交通機関にも適用できると理解していました。そのときに長官から言われたのは、「サンポさん、何かを成し遂げるには最低でも500回は関係者らとの議論が必要だよ」という言葉で、今でもよく覚えています。

あれから今まで、議論はもう既に2000回を超えて、今も続いています。誰しも全てをコントロールすることはできませんので、それを受け入れ、話し合いを重ねています。お互いの協力が必要で、バランスが取れていなければなりません。まずはそれを認識し、次に全ての関係者にとってどんな意味があるのかを考えています。自分だけのためではなく、みんなのために機能するモデルを作り、それができて初めて次に進むこ

*3
第2世代携帯電話の標準通信規格。

とができます。これが前進し続けられた理由だといえるでしょう。

ヘルシンキはフィンランドにあり、大きな市場ではないことも分かっていたため、皆に使ってもらうには誰が見ても理解できるようにする必要がありました。この数年間、ユーザー目線で図解する方法やユースケースを決して過小評価してはいけないと学びました。本人たちがどんなサービスを受けることができるのかを理解してもらうことが重要だからです。時間はかかりますが、こうすることで全員が当事者となり、ついには大手のプレーヤーを動かし、実際の運用ができるようになるのです。

関：夢を共有するのは非常に大事ですよね。第一に、将来のビジョンを共有する必要があります。市民だけでなく、政府関係者や民間企業にも参加してもらい、未来への共通のビジョンを持つために、私たちはデータを使って都市の未来を視角化します。データをうまく使えば、「現状を変えないと将来このまちは厳しいシナリオを進んでしまうかもしれない」、また「地域の交通手段の種類を変えなければならない」といったことを示すことができるでしょう。

日本ではローカルバスを運行している事業者の規模が非常に小さいなど、地方における公共交通機関の状況があまり芳しくありません。それを示すデータを提供し、自治体で取り組みを始めれば、将来のシナリオを変えることができるかもしれない。まちの未来をどのように想像するのか、あるいは議論するのか。このようなデータを視角化して話すことで、人々がどのように考えているのかを問いかけることができるようになります。私たちはこういった議論をするためのワークショップを開き、将来のビジョンについて議論しています。

谷 本：日本では企業が政府関係者と連携を取るのがとても難しいのですが、サンポさんはエンドユーザーやエコシステムにおける協力者、または企業や製品プロジェクトのメンバーなど、ステークホルダーによってコミュニケーションの取り方を変えていますか。

サンポ：答えはイエスでありノーですね。どんなサービスが欲しいかという共通の夢を変えることはできないので、全ては共通のビジョン、「ジョイントビジョン」を持つことから始まります。ここは変えられません。

面白いもので、例えば「月に行きたいか」という問いかけは誰でも理解でき、そこからさらに突き詰めていくと、「それは自分にとって意味があるのか」と考え始めます。ですので、初めは常に同じユーザーケース、同じビジョンを考えます。

都市計画に関わるどのステークホルダーも、「そのビジョンが自分たちに何の意味を持つのか」を気にします。公共交通機関の事業者にとって何の意味があるのか。配車サービス業者にとって何の意味があるのか。そのような意味を問われた段階で、より細分化した答えが必要になります。そのため私はいつも「車を所有することに匹敵するものがあるとしたら、どのようなものか」という質問から始めます。そこから始めなければ有意義な話ができず、部分最適化に陥ってしまうからです。

ジョイントビジョンを持てているかという点にいつでも戻れるように認識の確認ができれば、その先は、コミュニケーションを取るべき相手が誰かに合わせてさまざまなモードに分割できます。相手はどんな都市や企業なのか、このコミュニケーションをどのように行うべきなのかといったことですね。

スタートアップ企業のCEOとしての信用を失うことになるかもしれませんが、私は未来の市場のビジョンは都市や政府が持たねばならないと強く思っています。一つの企業によるテクノロジーを介したディスラプションはもはや起こりません。一企業の力では、都市のような巨大なものに影響を与えることができなくなりました。そのため、市場をどのように機能させるかというビジョンは自治体や政府が主導する必要があるのです。

今世界に必要なのはそれができるリーダーです。企業にもできる可能性はあるが、実際にはどうやって機能させられるのかを考えると、やはりそこには「これが私たちが求める市場の在り方だよ」「これが私たちの街の夢だよ」など、ジョイントビジョンを掲げ、思い出させるリーダーシップが必要になります。これは非常に難しいことなので、このイノベーションを起こせる起業家を心から歓迎します。

新たな市場を創造するイノベーションを可能にするためには、言葉を持ち、政府側にも認識させる変革が必要です。個々の既存ビジネスだけに注力するのではなく、10年後の市場のビジョンを設定し、それに向けて積極的に活動を始める必要があります。それが未来を良い形で実現するための方法だと思っています。

谷本：なるほど。関さんも政府関係者と仕事をしていると思いますが、コミュニケーションが難しいと感じることはありますか。

関　：政府の方々と起業家では、まったく異なる文化の中で違う言語を話していると言ってもいい状況です。両者に大きな違いがあるため、政府側と企業側の間に通訳となるコーディネーターを入れることがとても重要になります。それが、私が実際に複数の政府機関や自治体で仕事をしながら、スタートアップとも仕事をしている理由であるとも言えます。両者の関係を促進し、翻訳して伝える機能を間に挟むことで、外の人々に対して可能性のドアを開くことができるようになり、これがオープンイノベーションの突破口にもなりえます。

　例えば、私は神戸市のCIOを務めており、市が始めた「アーバン・イノベーション神戸」というプログラムの立ち上げに携わりました。神戸市が地域の課題を説明し、スタートアップ企業に自治体の業務を改善するためのサービス提供を求めるというものです。

　その際、スタートアップ企業が自治体の業務を改善するための要件を、市はあまり詳細に規定していませんでした。そこで、まずはスタートアップ企業との実験的なプロジェクトを3カ月から4カ月実施することで、神戸市はその後、スタートアップ企業とどのように協力していけばいいかを理解できるようになりました。同時に、スタートアップ企業側も自治体と話をする際に何が重要かを理解できたので、やっと両者が同じ言語で話し合えるようになったわけです。その後は自治体がプロジェクトを振り分けて、スタートアップ企業のサービスを購入していきました。異業種との信頼関係を築くには、一緒に仕事をするのも一つの方法だと思います。

■UXをどのように考えるべきか

谷 本：次はUXについて聞いていきます。日本でも企業がサービスや商品を提供する際にUXが非常に重要であることが理解されつつありますが、そもそも私たちはUXをどのように考え、理解するべきなのでしょうか。UXやユーザーエンゲージメント、顧客満足度はどのように向上できるのかなど、考えがあれば聞かせてください。

サンポ：日本企業は「物理的なUX」に関しては世界でも画期的な存在であり続けたと思います。ソニーやトヨタなど製品のデザインは素晴らしく、どの企業も非常にうまくやってきました。ただ、「全てをコントロールできる物理的な世界」ではそうだった、と言わざるを得ないでしょう。

今私たちはAPI*4の世界、APIエコノミーに移行しようとしています。閉鎖的なエコシステムは存在せず、全てをコントロールすることは不可能です。Google

*4
API（アプリケーション・プログラミング・インタフェース）とは、あるプログラムから別のプログラムの機能を呼び出す、プログラム間連携の仕組み。

マップを使うか、ゼンリンのマップを使うか、というように、それぞれの国で異なるサービスを使うやり方をしなければなりません。全ての構成要素を完全にはコントロールできないのがAPIエコノミーの現実であり、現代のテクノロジーが生んだディスラプションでしょう。

エコシステム全体をコントロールするのは不可能という現実を乗り越えなければならず、乗り越えなければリスクが高まります。自分がコントロールできないことを受け入れた後は、必要なことに集中できます。コントロールできないことを受け入れた上で、できる限りシンプルで、優れた使いやすいものを作るためには何を省けばいいのか。これが、UXにおいて最も重要なカギになると思います。

なぜなら**多くの大企業が抱えている最大の問題はコントロールしたがる**ことだからです。たとえこの「全てを完全にはコントロールできない世界」から逃れることはできなくても、いくつかの構成要素を変えたり動かしたり、実行したりできることを理解し、この世界で生きていかなければならないことを理解し、その上で、実際にエンドユーザー向けのサービス提供者としてやるべきことは、サービスを可能な限りシンプルにしようと努めることにあります。

先日、ヘルシンキでWhimに星1つの評価が付けられたことがありました。あるユーザーが、公共交通機関でチケットの発券トラブルがあり、本来のサービス提供を受けられなかったからです。当社としてはサービスを外注することも、メトロに対処させることもできないので、すぐにカスタマーケアを通じてその人に連絡を取り、アプリのロジックを変更しました。

翌日には、同ユーザーから「トラブルの状況でも良いサービスを提供してくれてとても良い企業だった、アプリもとても役立った」と星5つをもらえました。つまり今の世界ではサービスが全てであり、自分ではコントロールできないことを理解した上で、もっと良いサービスの提供に集中する必要があるわけです。

谷本：関さんはUXについてどう考えて、どう取り組んでいますか。

関　：サンポさんが言った通り、全てをコントロールしようとする企業はその意識から変えることが非常に重要だと思います。企業単体の利益ではなく、より広い視点とオープンマインドでオープンイノベーションを起こすことがこれからは求められるでしょう。日本の大企業は市場のあらゆるエコシステムを支配しようとしがちですが、それではユーザーからのフィードバックを適切に受け取ることができなくなってしまいます。サプライチェーンが長いことは、ユーザーからのフィードバックを得るのに適していません。だからこそAPIエコノミーのようなより柔軟なエコシステムとの組み合わせが必要になります。

企業はマイクロサービスを提供し、それらを互いに連携させるべきです。スタートアップ企業はユーザーからのフィードバックを得るのに非常に適した構造を持っているので、優れたUXを作る能力が高いと言えます。大企業はフィードバックを得るシステムとその作り方をスタートアップ企業から学ぶべきではないでしょうか。

谷本：最後に読者に対するメッセージをお願いします。

関：未来を創造することを楽しみ、より多くの人を巻き込んでほしいと思います。

サンポ：「夢が信頼を築く。コントロールしようとするな」にしましょう。

谷本：テクノロジーに焦点を当てるのではなく、顧客や人を中心としたバリュージャーニーを作ることが非常に重要だと理解できました。テクノロジーは今後も進化し、変化し続けます。だからこそ人を中心に考えたUXが大切になるということが、深く感じられたセッションでした。

セッションの見どころ

まず、衝撃的だったのは、サンポさんの以下の発言です。

「DXのような話題でテクノロジーが最重要のように語られますが、はっきりいってテクノロジー単体では無価値です。何かにテクノロジーを継ぎ足していく行為も同様に無価値です」

彼がMaaSというコンセプトを思い付いた2006年から今日に至るまで、テクノロジーは変わり続け、使えるものも変わり続けてきました。特定のテクノロジーに立脚してしまうと長期で何かを成し遂げにくくなってしまうので、何より重要なのは「人がついてきてくれるような夢のような体験」を諦めずに追求することだ、と話します。

意外にもこうした少しラジカルな発言に、関さんは乗ってきます。

「今も昔も僕はテックギークであり開発者なので、まさにテクノロジーの重要性をうたうわけですが、『行政や街で出てくるデータをちゃんと使えるようにしないとダメですよ』といってもダメなんです。テクノロジーを知らない人にメリットや魅力が一切伝わりませんし、実際に私が必死に熱弁した相手も、なぜデータの活用が必要なのか分からず、動いてもらうことができませんでした」

「結局のところ『何をやりたいんですか』『どんな社会にしたいんですか』というビジョンを伺うところからスタートすることになります。どんな目的やビジョンを達成するのかを設定しないと、一切テクノロジーの話は理解されないのです。その意味でも、テクノロジーがそれ単体では価値を生まないというのは、自分の経験からもよく分かるようになりました」

さらに、サンポさんは以下のように語ります。
「オンラインとオフラインが融合する現在、夢のようなことを実現しようとすると、一企業では成し得ないことばかりです。そのときにエコシステムを創ろうなんて簡単に言うけど、だいたいはそれぞれの思惑を表面的に寄せ集めた『エゴシステム』になってしまいます。オフラインは様々な権益が絡むのですから、みんなが心から望む『ジョイントビジョン』（つなぎ合わさったビジョン）が必要になります。ジョイントビジョンとは人々がこんな生活になったら素敵だと感じる『夢』であり、『ユースケース』のこと。このときに『こんな車だったらいい』とか『こんな家電だったらいい』とか、ユースケースではなく製品起点になってしまうことは非常に多く、これでは全て失敗します。夢を掲げるとき、テクノロジーではなくあくまでユースケース起点で考え、その実現のために『現在のテクノロジーでどこまでできるか』というふうに考えるべきでしょう」
MaaSという概念を提唱し、既に事業化に成功されているので、机上の空論や理想論にも聞こえることがなく、日本で横行するDXに対するアンチテーゼにもなっていて、一つひとつの言葉がとても重く感じます。

■APIエコノミーへの対応

フィンランド人であり、MaaSの日本展開を支援するサンポさんから見ても、日本が時代に対応できていないようです。
「日本の企業では、物理的なUXは画期的な存在であり続けてきたと思います。全てをコントロール可能な物理的な世界では、それが強かった。しかし、今はAPIエコノミーになり、閉鎖的なエコシステムは存在せず、全てのコントロールは不可能になってきています。これが現在のテクノロジーが生んだディスラプションであり、エコシステム全てを一つの企業がコントロールすることはできないという事実を受け入れる必要があります。APIエコノミー化した現在において多くの偉大な企業が抱えている最大の課題は、コントロールしたがることだと言えるでしょう」

APIエコノミーというのは、ネットワークを介すことで簡単に他社のサービスを活用することができ、それによって拡大していく経済圏のことです。企業同士がお互いの強みを利用して価値を強化する動きが活発になることが期待できます。リアルとデジタルが融合した現在の社会では、戦い方が大きく変化しているというのがサンポさんの見ている景色であり、関さんも実際にテックリーダーとして活躍される中で、同じ視点で取り組まれているように思います。こうした社会を前提に、関さんの観点から見た行政のDXの難しさを尋ねると、以下のような答えが返ってきました。

「一番難しいのは、技術を持つスタートアップやエンジニアと、行政や自治体とで、まったく言語や思考が異なること。この橋渡しをするファシリテーターがいるかどうかで、皆が同じ方向を見て成功できるかが決まってきます」

この難しさは、大企業においてもまったく同じではないでしょうか。取り組みを大きくしたり、今生み出せる最大の価値を生もうとしたりすると、必然的にこのような橋渡しが必要になってきますし、DXとは単一企業のことではなく、社会変化・業界変化を伴っているからこそ「やらなければならないこと」であると言えます。「机の下で足を蹴り合う」ような表面的な形ではなく、いかに芯から共鳴し合ってより良い暮らしをつくることができるかという、これまでの社会ならきれいごととして一蹴されてしまうようなことが時代の要請となり、ロジカルに考えて必要になってきているのだなと感じます。

体験価値のマネジメント
ープラットフォームにおける包括的な体験管理

陳 妍（Tencent）／深津 貴之（THE GUILD）／藤井 保文（ビービット）

世界最高峰のUXデザイナーに登壇いただきたいと思い、私がUXデザイナーとして尊敬するお二人に議論していただきました。書籍の出版やネットでのブログ発信などに代わる新たな創作・表現の場として私たちの生活に浸透しつつあるメディアプラットフォーム「note」のCXOであり、THE GUILD代表の深津貴之さんと、10億人を超えるユーザーを抱える中国最強のコミュニケーションスーパーアプリ「WeChat」でUXとユーザーリサーチを率いるTencentの陳妍（エンヤ・チェン）さんです。

人々に日常的に使われるほどに生活に浸透するサービスが生まれ、それらが非常に強い力を持つ現在、そのサービス全体のUX品質をマネジメントすることはとても難しいものになります。どれだけ秀逸なビジネスモデルを描いていても、ユーザーが増えたり、機能が多くなっていったりする中で、サービスを提供する皆が「強固なビジョンと提供すべき体験」をしっかりと見据え、これが設計・実装されていないと、そのサービスは簡単に価値を失っていきます。

成功しているサービスやプラットフォームでは、大きく成長する過程で、何を大事にし、どのようにUXの品質を高めているのか、「人が使い続けるためのUX作り」の本質を議論していただきました。

■地形や環境を作るようにデザインする
ー老子の上善如水とUX

プラットフォームのUXを作るに当たって、人数規模が大きくなればなるほど、個別のユーザーに目を向けすぎるよりも、「いかに環境やルールをデザインするか」という方が重要になってくる、という話題になります。中国からオンラインで参加していたエンヤさんを前に、深津さんがご自身でUXを作られたり、noteをグロースさせたりするときに、以下のように考えているという話をしてくださいました。

「僕がnoteなどでルールや大きなカルチャーを考えるとき、中国の昔の本に勉強させてもらっています。孫氏とか老子とかですね。そこの中で、上善如水[*1]という言葉がありますが、地形に合わせて水の形が変わるように、あらゆるものは自然に変形するようなデザインがいいと思っていて。よくある話で、KPI[*2]に集中するとサービスが大きく変わってしまう、例えばPVを大きく上げようとするとスキャンダラスなタイトルが推奨されたり、人のけんかをあおったりするものが推奨され、カルチャーがゆがんでしまう、ということがあります。

こうしたデザインをする際は、最初に大きな地形を作るようにして、例えばPVよりも読了してもらえるか、次回作を読んでもらえるか、というところに大きな地形を作ると、水が山に沿って流れていくように、攻撃するような記事よりも有意義なことを書く、といったカルチャーを作ることができます。

環境とルールを設定すれば、あとは自動で育っていくと考えています。そのため、ディテールを見せる・作り込むというよりも、例えば見せかけでバズることを優先せずに自らの気持ちを書いて深いファンを作っていくように自然に動いてもらうためにするにはどうしたらいいか。どのような大きなルール設定をすれば、人が良い行動をしてくれるか、といった思考法で考えています」

＊1
老子の言葉で、最高の善は水のようなものである、という意味。水は万物に利益を与え、他と争わず、自らは低い位置に身を置くことから。

＊2
key performance indicatorの略。重要業績評価指標。目標の達成度を測るために設定する指標。

■何をターゲットとして設定するか

これを聞いて、私が踏み込んでみたのは「深津さんはUX作りの際、人を見ているか」という質問でした。人間中心だったり、ユーザー視点を得ることだったり、人を見ることの重要性はUXに限らず、重要だと言われることが多いと思います。しかし、私たちは本当に「人」を見てUXを作っているかというと、ビービットの場合は「人々の置かれた状況」を見るように心がけています。同じ「ユーザー中心」学派ではありつつ、単位を細かく捉えたり、ユーザーが巻き込まれている仕組み・環境・システムそのものに目を向けたりしているような考え方です。

人にフォーカスすると個別の事情や心理、価値観に目が行ってしまい、十人十色に感じられ、改善方法が全員異なっているように見えてしまう一方で、状況（例えば「皆の意見をまとめながら意思決定しなければいけない状況」など）にフォーカスすると、様々な人に共通で起きていますし、それが共通で起きる原因に目を向けると、共通してその課題を解決することもできるようになるからです。

深津さんはこれに対して以下のように語ります。

「規模次第で変わると考えていて、人数がそこまで多くないサービスやフェーズであれば一人ひとりを対象にしても十分UXをデザインすることができますが、大きくなっていけばいくほど参加する人々の属性もかなり多様になり、ターゲットユーザーを抽象化しないといけなくなってきます。そういうときは、例えばnoteだったら『自分の中に発したい想いや意見がある人たちがそれを出せるようにすること』そして『noteの中で活動することを通じて自分も発信したいと思うこと』という2つを大事にしていて、こういった行動が触発されていくような環境設計をするようにしています」

これに対して、中国という日本と異なる環境で10億人というユーザーを抱えるWeChatにおいて、エンヤさんやTencentが考えているのは以下のようなターゲット設定だそうです。

「あらゆるサービスには、それを積極的に使ってみたいコアユーザーがいます。全体のユーザーが100％だとして、例えば15％程度のそういった積極的なユーザーに受け入れられることは非常に重要です。まずコアユーザーを設定し、彼らに焦点を定めて体験をデザインし、改善していくことで、サービスの価値におけるコアの部分も明確になってたくさんの人に広げていくときの指針にもなります。さらに彼らを満足させることができれば、今度は彼らが世の中に広めていってくれます」

「また、もう一つ重要なこととして、シナリオベースデザインというやり方があります。これは深津さんのいうターゲットに近く、『特定のシナリオ』をターゲットにして、実際にその行動のプロセスを集中的に観察するものです。例えばモバイル決済でも、『ユーザーがQRコードを提示する』『店側がQRコードを提示する』など、様々な方法を取り得るわけですが、実際にコンビニのフローを調査する中で、どの方法がどのような局面で最適なのかが分かり、かつそこで生まれるニーズもよく理解できます。こうした行動フローの理解から、どのような行動を支援すればよいのかが分かってきます」

人や属性をターゲットにすることがこれまでは当たり前とされてきましたが、それはあくまで製品販売的な考え方なのかもしれません。実際リアルの製品開発においても、「こんなシーンにおいて真価を発揮する」という状況や行動へのフォーカスは行われています。体験を支援することが重要な時代では、こうした思考法の変化が求められているのではないでしょうか。

■シンプルさを追求し、基本に忠実に

TencentのWeChatは、スーパーアプリとして多機能化し続けているにもかかわらず、シンプルさは大きく変わらず、ユーザーが迷うようなことがほとんどありません。利用の仕方を学習させる上手さもさることながら、トップページのデザインがほぼ変化せずにずっとサービスが進化を続けていることは素晴らしいことであると考え、どのように考えているのかをエンヤさんに伺いました。

WeChatは「世の中のつながりを築く」というテンセントのビジョンを代表するデジタルプロダクトで、人と人、人とサービス、人と企業やブランド、それら全てが「つながり」に値します。このことから、最も重要なこの「つながり」がアプリにおいて一番初めに来るべきで、逆に個人、サービス、企業やブランドなど、相手が誰であってもそれはつながりなので、区別せずに「つながりのタイムライン」という形でまとめるようにしているそうです。

プロダクトが生まれる段階で、何がコアバリューなのかを理解することは非常に重要です、WeChatの場合は「コミュニケーション・つながり」なのですが、10億人ともなるとつながりも変化してあまりに複雑になるので、「良好なつながりを築く」ためには様々なルールが必要になってきます。例えば、放っておくと企業は一方的にたくさん連絡を送ってしまうので、送信できるメッセージの回数を制限しながら、ある程度「企業アカウント群」という形でまとめて1つの相手のようにしているそうです。そうでないと、メッセージのタイムラインがほとんど企業になってしまうためです。

こういった調整を絶えず行うことで、シンプルさを保ってい

るらしいのですが、私が素晴らしいと感じたのは特にこの「抽象化」の部分です。あらゆる連絡は「つながり」であり、それは人と企業であっても同じであるとか、人と企業があたかも人同士のように良好な関係を築くにはどうすればよいかという問いの設定だとか、抽象と具体を柔軟に行き来する頭の使い方をしていると感じます。

1-1のセッションで冨山さんが「デジタルに必要なのは抽象化する思考である」とおっしゃっていますが、ここでテンセントが行っていることはそれと非常に近しいことであると思います。ビジョンやコアバリューなど形が曖昧な言葉や、状況や行動など人によって千差万別とも解釈できるものに対して、いかに抽象化し、言葉にして組織で共有しながら進められるかが重要なのだという示唆を得ることができたのではないでしょうか。

3-2

個人データと認証の社会活用可能性

本セッションの狙い

個人に関わるデータは、正しく活用することで人々の生活を便利にし、新しい可能性を広げることができます。しかし一方で、データやデジタルに関する知識やリテラシーの壁があったり、プライバシー保護をはじめとする堅牢性と、同時に使いやすさやアクセスしやすさに関わる利便性、この双方を両立する技術的ハードルがあったりなど、「本当に活用できるのか」という疑念がわくほど、様々な問題がつきまといます。

このテーマについてはエストニアの話をぜひ入れたいと思いました。エストニアはデジタル行政が一番進んでいる世界有数の電子国家として有名です。そのエストニアでKYC（Know Your Customer＝本人認証）のサービスを提供する会社がVeriffです。このセッションでお呼びしたジェイナー・ゴロホフさんは、Veriffの共同創業者兼CPO（Chief Product Officer）です。2-2で登場いただいた塩野さんが取締役を務めるベンチャーキャピタルのNordic Ninjaからエストニアのことを伺ったときに、それならばVeriffが最適だと教えていただき、お願いをしました。

Veriffがすごいのは国ごとに規制もリテラシーも異なる中、エストニアだけでなく様々な国で受け入れられる「個人認証サービス」を展開していることです。エストニアだけで個人データを預かっているのであれば「うちの国はこういう国だから」で済んでしまいますが、それを海外展開しているところがすごく興味深いと感じています。日本がデジタル化する上で一番ネックになるのはデータの利活用やプライバシーの話になります。Veriffと同じ仕組みを日本に取り入れられるのか、そのために何が問題になるのかも教えていただけるのではないかと思いました。

それに対して日本からどなたに登壇していただくかを考えたときに思い出したのが、2019年に大阪で行われたG20で、DFFT（Data Free Flow with Trust）*1というデータに関わるコンセプトを当時の安倍晋三首相が話されて、採択されたことです。つまり信頼あるデータの在り方を日本発案の下、G20で合意が取られたということです。

あれは誰が作ったのかと思って調べたら、浮かび上がったのが経済産業省にいらした瀧島勇樹さんでした。実は瀧島さんとは何度かお話ししたことがあって、デジタル庁のニュースが出た頃に「デジタル庁を藤井さんはどう思いますか？」と聞かれて、「デジタル庁よりはエクスペリエンス庁がいいんじゃないか。デジタル庁エクスペリエンス課でもいいのでそうなったらうれしい」と答えると、すごく賛同してくださり、デジタルが主語になるのではなく、エクスペリエンスが主語にならないといけないですよね、とおっしゃって下さったので、私としては同志の一人のように勝手に感じており、そのご縁もあって瀧島さんにお願いしました。

*1
信頼性のある自由なデータ流通のこと。「プライバシーやセキュリティ・知的財産権に関する信頼を確保しながら，ビジネスや社会課題の解決に有益なデータが国境を意識することなく自由に行き来する，国際的に自由なデータ流通の促進を目指す，というコンセプト」（IT総合戦略本部）。https://g20-digital.go.jp/

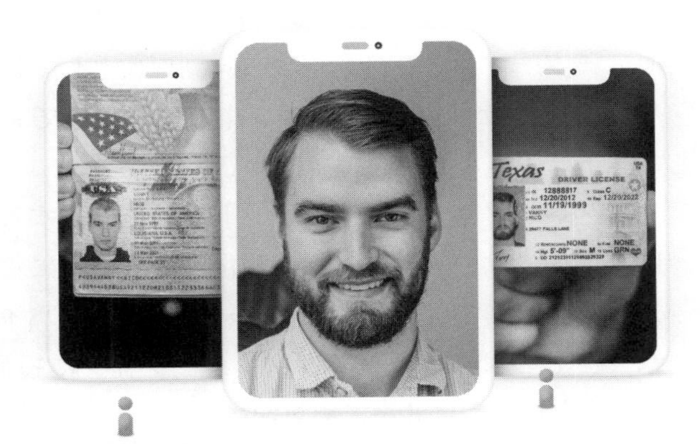

Veriffによる本人認証の画面サンプル

個人データと認証の社会的活用可能性

ジェイナー・ゴロホフ（Veriff）／瀧島 勇樹（経済産業省）／藤井 保文（ビービット）

藤井 保文（Yasufumi Fujii）
株式会社ビービット 執行役員 CCO
/東アジア営業責任者

ジェイナー・ゴロホフ
（Janer Gorohhov）
Veriff CPO

藤 井：ジェイナーさんは、行政サービスのデジタル化をはじめ、個人認証のサービスやプラットフォームを作っているわけですが、一体どのようなことに取り組んでいるのでしょうか。

エストニアの状況をはじめ、他国や日本の行政での場合など深く聞いていきたいので、まずVeriffの説明をしていただけますか。

ジェイナー：まずはオンラインにおける信頼と個人データの安全な取り扱いについての話をした上で、L&UXのテーマでもあるUXに焦点を当て、VeriffがどのようにUXを向上してきたかを紹介しましょう。オンライン本人認証サービスは新しい試みであり、Veriffはその先駆者なので、そのための新しいUXはやりがいのある分野です。

私は複雑な問題を解決することでどのように人々の日常生活に影響を与えるかを模索しています。コンピューターサイエンスを専攻し、副専攻として経済学を学びました。VeriffはデジタルID発祥の地でもあるエストニアにルーツを持つ企業です。

エストニアは北欧フィンランドの隣に位置する比較的人口の少ない国です*2。情報化社会の構築に着手したのは約25年前。当時はインターネットもデバイスもなく、そのような状況でITソリューションに投資し、ITの道を進むのは非常に勇気が必要でした。

オンラインの信頼を高める一つの基盤になったの

*2
人口約133万人。面積は4.5万平方キロメートルで日本の約9分の1

は、市民が個人データを所有するという決定でした。政府当局が個人データを扱うには市民の同意が必要でした。

また、インフラの礎の一つにデジタルIDが挙げられます。これによりエストニア市民や居住者はオンラインで自分の身分を証明でき、サービスを迅速かつ便利に利用できるようになりました。エストニア住民のほとんどがこのIDカードを持っており、実際に役所に行く必要があるのは婚姻届を提出するときだけです。

デジタルID発祥の地から、オンラインの信頼性の問題をグローバルで解決するVeriffが誕生しました。オンラインの信頼性を高めるためのインフラを構築し、ウェブサイトや携帯アプリからでも政府発行のIDで本人認証ができるようにしています。

信頼性を確立するためには身元を証明する必要があります。例えば、現実世界で他人のパスポートを使って銀行から融資を受けた場合、バレたときには捕まらないように逃げ切らなければならなりませんが、インターネットの世界ではもっとやり口が複雑になります。

なりすましがあまりにも簡単なので、ここに問題が発生します。要するにオンラインには信頼性が存在しません。そこで、本人認証が重要になります。特にコロナの影響で多くの企業がオンラインに移行せざるを得なくなったので、その重要性が増しました。

危機というのはトレンドを壊すのではなく増幅させるものです。2019年はフィンテック、モビリティー、そしてマーケットとの連携が私たちの糧となり、2020年にはあらゆる分野でオンラインによる本人認証が必要不可欠となりました。企業にとって顧客の本人認証ができることは非常に重要です。

この点においてVeriffは信頼できるアドバイザーです。正確で効率的な技術によってこのニーズに応え、オンライン本人認証の未来の基準を定められます。Veriffは対面による本人認証よりもオンラインによる検証の方が安全性が高くなるという信念の下で設立されました。

Veriffは設立から5年目を迎え、欧州で急成長しているスタートアップ企業の一つとなっています。エストニア、米国、英国にオフィスを構え、250人以上のスタッフが世界中で何百万人もの本人認証の支援をしていますが、オンラインへの信頼がなければデジタル経済の可能性を最大限に発揮することはできないでしょう。その信用の核となるのが本人認証です。

まず、企業は顧客の身元を確認することが法的に義務付けられており、これを怠ると多額の罰金を科せられます。たとえば通信事業者のMTNは、未認証のユーザーを排除できず52億ドルの罰金を科せられました。金融サービスをはじめ、eコマースやモビリティーなどの分野でも規制基準は厳しくなっており、SNSでも同様の動きが出てくるでしょう。

次に不正行為の巧妙化に伴い、より強固な本人認証ツールが必要となっています。ディープフェイク*3が問題視されている今、写真だけでは本人認証はできません。たとえば、一昔前のインターネットは匿名で使用されるツールでしたが、現在では個人情報が盗まれる被害により、企業は毎年総額2000億ドルの損失を

*3
AIを使って作った偽の画像や動画のこと。

被っています。

国際化は翻訳だけでは成し得ません。企業が海外展開するためにはコンプライアンス違反や不正行為にかかるコストを削減するために、グローバルレベルで認証パートナーが必要です。認証フローの品質は非常に大切ですが、ここでUXが重要な働きをします。

公証人に会わずに銀行口座の開設や本人認証をする流れを例にして説明しましょう。まず、指示に従って政府発行の身分証明書の写真を撮ります。Veriffが初期のチェックを行い、わずか数ステップでプロセスが完了します。

簡単なプロセスに見えるこの手法は、Veriffが学んできたことの一つで、Veriffのチームはシンプルさを実現させるために多くのユーザーテストを実施し、ユーザビリティのテストを何度も繰り返し行いました。

今日はその中から学んできたことをいくつか共有したいと思います。ほとんどのユーザーは初めて本人認証を行う人たちです。朝起きて「さあ、今日は本人認証をしよう！」と思う人はほとんどいません。使いたいサービスにアクセスするときに初めて本人認証が必要になります。人生で初めてのことをするときには失敗は付きものですが、ミスが続くと認証を諦めてしまうでしょう。

ユーザーが本人認証を完了するためには、自動化されたリアルタイムのフィードバックと明確な指示が重要です。認証プロセスに時間がかかることはありますが、それが原因で本人認証を諦めてしまう恐れがあります。

このようなとき、何に時間がかかっているのかをユーザーに理解してもらう透明性が必要になります。また、本人認証のプロセスでは指示を理解しながら個人情報の書類や顔を見せなければなりません。個人情報を含むプロセスなので、Veriffは認証プロセスを行う上で自身の信頼性を証明する必要があります。

さらに、デバイスの違いや、照明の状態なども認証プロセスに影響を与えます。こうした課題を乗り越えて認証を成功させるためには迅速なフィードバックが必要です。また認証に失敗しても原因を伝えることでユーザーは再試行して認証を成功させられます。

Veriffのプロセスはシンプルで直感的です。Veriffが裏側で行なっていることを説明しましょう。人間はもともと主観的な生き物ですが、本人認証は客観的であるべきです。認証の過程では、動画や写真、デバイス、ネットワーク、書類、生体、そしてユーザーの行動などを分析したデータにより、Veriffの意思決定エンジンが主観を排除して客観的に判断します。

データが増えれば意思決定プロセスを自動化し、より正確で迅速な意思決定が可能になり、デジタルサービスを利用しやすくなります。UXの観点では、グローバル企業であるVeriffにとって、9000種類以上の身分証明書を190以上の国と地域において36の言語でサポートしているということがまず何より重要です。

次に、迅速なフィードバックには高水準な自動化が不可欠です。Veriffのプログラムでは6秒以内に98%という高い自動チェック率を実現しており、これにより95%もの人が初回で認証を成功させています。Veriffでは日本を含む190カ国以上のグローバルパートナーの本人認証を担っており、ローマ字を含む日本の証明書もサポートしています。

優れたUXを提供するためのVeriffの基本原則として、「グローバルで、簡単に使えて、高度に自動化され透明性がある」ことを大事にしていることを、最後に強調しておきます。

■UXの磨き込みが公的な機関における個人認証の普及につながる

藤 井：瀧島さんは今の話についてどう思いますか。

瀧島 勇樹
（Yuki Takishima）
経済産業省 技術振興・大学連携推進課長

瀧 島：初めの方におっしゃっていたが、IDやKYCなどはパブリックグッズやユニバーサルサービスのように使えるべきものだと思います。かつ、使いやすいものであるべきなので、この技術が既にデジタル化した社会で提供されているということに感銘を受けました。

藤 井：最近は政府の中でもUXや体験価値という言葉が使われています。今の話とつながる部分があるのでしょうか。

瀧 島：その通りです。その辺りもジェイナーさんにお伺いしたい。ジェイナーさんが取り組んでいるプロジェクトはBtoBのインフラのようなサービスですが、その先のエンドユーザーの方の気持ちを想像するのは、BtoBからBtoCに行くところなので、少し複雑に思います。UXを考える上で工夫されていることを教えてください。

ジェイナー：工夫すべきことはたくさんあり、私たちもまだ改善段階なので課題点はあります。98％のチェックが自動で行われていますが、6〜20秒間を待っている人たちが2％残っています。

実際に測ってみれば分かりますが、20秒はかなり長い時間です。ユーザーは物事が同時に起こることを期待しています。UXの観点からすれば、ここに改善の余地があります。Veriffは既に良好な実績を出していると思いますが、まだまだ改善に取り組む必要があると考えています。

藤　井：技術的な強度でスピードは決まるので、そういった技術面での努力があるということだと思いますが、先ほどUXの検証をされているとも伺いました。実際はどのようにそのプロセスをユーザーに使ってもらうリサーチをしているのでしょうか。

ジェイナー：それには多くの選択肢があります。パートナーと協力することでユーザーの理解を妨げているものを理解することもあれば、我々の基準に照らしてユーザーを困らせている箇所を把握していくこともあります。

先ほども言った通り、私たちが行っているのはユーザビリティテストです。つまり、本格的に改良を行う前にプロダクトをユーザーに使ってもらい、良くなった部分、また何かフィードバックが得られる部分はないかを確認しています。

ユーザーからのフィードバックを重視しながらVeriffの基準を組み合わせていくべきだと信じており、

私たちは必ずそれをやっています。そして、仮定ではなく事実に基づいて意思決定します。

藤 井：私自身、UXのデザインやリサーチをしているので理解できる一方で、私はエンジニアではなくプロジェクト・プランナーとして入ることがメインになります。どういうふうにユーザーが感じているかを想定し体験を作ることはありますが、98％の人が一発で認証できるとなると、技術的な部分が本当に重要になってきますね。

自分でコンサルティングを行っていると、いかに良いパートナーやエンジニアを連れてくるかという話になるので、1人ではできない難しさを感じます。

その意味では、ジェイナーさんはその両方を等しく見ながら、UX上も、ユーザビリティ上も課題を解決していかなければならない上に、体験的な仕掛けだけでは解決できない技術的なスピードにも携わっているのだと思います。

エストニアで生まれ育ったジェイナーさんは、他の国と比較してどのようにエストニアの生活を感じているのでしょうか。

ジェイナー：Y Combinatorアクセラレーターに参加していた際、米国に数カ月滞在していました。このときの経験から見てもエストニアの環境は素晴らしいと思います。たとえば米国にいるときにリモートで会社の登記をする必要がありましたが、これが20分で完了してしまいました。20分と言ってもそのうち18分は会社の名前を考えていたので、実際に手続きにかかったのは2分程度しかありません。

エストニアでは手続きが早く簡単です。大統領選挙の電子投票などコロナ禍においても多くの強みがあります。一方でエストニアは夢の国になぞらえて「デジタル・ナルニア」と呼ばれているが、このようなシステムを構築するのは非常に大変です。

エストニアのシステム全体がいかにシンプルで透明性が高いか、私たちは普段忘れてしまいがちですが、Veriffの海外メンバーがエストニアに移住する際に、そのシステムについて説明すると、多くのメンバーは、他の国と比べてとても簡単であることに驚きます。しかしこのシステムを他の国にも適用するのは容易ではありません。そこでVeriffの出番になります。

公共機関や行政に目を向けるとエストニアは比較的小さい国なので、ほとんどの人が顔見知りといった環境で小さなコミュニティーのようなものです。ある人の電話番号を知りたいと思ったら、たいてい誰か身近な人が番号を知っています。他国と比べて非常に小さいサークルであることが行政とともに協業できている一つの理由と言えるでしょう。

試験を受けるときや、公証役場に行くときも事前にVeriffを使って本人認証をします。これらはVeriffと政府が協力している例であり、Veriffは政府のサービスであること理由として、身分証明書がデータベース上で有効かどうかを把握しています。

このようにシステム全体における認証方法について密接な関係を築いているので、市民、企業、政府は良好な関係になっています。

■デジタル化するインフラの普及には行政と民間の協力が不可欠

瀧　島：行政と個人・市民とビジネスセクターとの距離が近くて良い関係だという話は、これから社会をガバナンスして行く上で大事なポイントだと思いました。いつからそうなったのか、何によって関係が強固になったのかを教えてください。

ジェイナー：こういった関係は一方通行ではなく、双方向で構築されていると考えています。例えば、オンラインでの本人認証における不正行為の傾向に関しては政府に協力し、教育の役割を担っています。

一方で政府からは、欧州のより多くの人々にVeriffを知ってもらえるように支援を受けました。ここで特に重要なのは、エストニアがユニコーン企業[*4]を多く輩出している国として知られていることです。

エストニアには既に6、7社のユニコーン企業がありますが、スタートアップの成長がGDPにとって非常に重要になっています。政府もこのことを認識しており、国内でイノベーションを起こすためには政府のサポートが必要です。だからお互いの役割や関係性の理解を深めています。

藤　井：政策としての投資も十分行われ、人々の意識を変えて行く意図もあるので、「国全体の意識や力をこちらに傾けるのだ」という意志が民間でも行政でも大きいように感じました。

*4
評価額が10億ドル以上の非上場スタートアップ企業。

エストニアではシニア層もオンラインで同様の行政関連の申し込みができると思いますが、浸透させるためには行政も動いたはずです。ご存じのことがあれば教えてください。

ジェイナー：これは25年かけてエストニア政府が取り組んできたものであり、初めからうまくいったわけではありません。また、政府以外の例を挙げると、コロナの予防接種のオンライン申し込みでシニア層が困っているという話題になり、市民サポートのために、先週民間企業が手を挙げました。なぜなら素早くやる必要があったからです。

そこで、この民間企業がシステムを説明するボランティアを集めました。この話は心に留めておくべき重要なことだと思います。

ミレニアル世代のように適応力が高く革新的で理解力のある人が常にいる一方で、理解できない人たちのための支援も必要です。これこそ、新しいサービスやテクノロジーを展開する際に重要な事柄だと感じています。

藤　井：デジタルのすそ野を広げるために、人力やリアルで地道に取り組んでいる部分は他の国の事例を見ても近いものがあり、学ぶべきポイントだと感じました。

ジェイナー：とても良い例だと思います。先ほど挙げた例のように受験前には本人認証が必要だし、マンションを売る前には公証人に会うなど、本人認証サービスが必要とされる事例は氷山の一角にすぎません。

たとえば家に帰って鍵でドアを開けるときも、近い将来生体認証を使った本人認証が当たり前になるでしょう。エストニアは選挙の際にデジタルIDを利用します。すべての政府が同様のインフラを持っているわけではないですが、これがIDを使用する例の一つです。

考えてみれば、IDが必要な場面はオンラインでもオフラインでも多数存在します。2020年はオンラインビジネスを行うため、IDを必要とする事業が多く生まれました。異なるセクターでどのように機能するか実証される良い機会なので、興味深く見守っていきたいと思います。

■個人情報を行政が管理するには透明性による信頼感が必要

藤　井：今日の別の大きいテーマでもあるKYCについても、もう少し詳しく伺っていきたい。個人情報をはじめKYCの技術は社会的な活用性が非常にあると感じる一方、私がすぐに思い付くのはフィンテックや行政になります。

ジェイナーさんの言葉にもあった通り、コロナ禍においていろんな活用性が出てきたという話があります。例えば受験。カンニングなどの問題はいったん置いておきますが、リモートであっても、本人認証ができるとKYCの技術が活用可能になると思います。

ジェイナーさんが話した事例を踏まえて、瀧島さんから何かありますか。

瀧　島：いろいろなユースケースがあります。日本でよくあることで言えば、コロナであることを気にして他の疾病の方々の迷惑にならないよう、病院に行くのを避ける、といったつらい事例もあります。そのときに本人認証を受けたり、オンラインで病院のサービスを受けたりするにどうするべきなのか、などが挙げられます。

藤井さんがおっしゃっていたところでは行政のサービス、たとえば図書館からオンラインで本を借りるというケースがあります。デジタルブックもしくはオンラインで本を送ってもらう形になると思いますが、そのときの本人確認、市民であることの証明が必要です。その場合にどうするのでしょうか。

Airbnbのような民泊やシェアリングについても興味深いと思っています。シェアリングサービスでは、「誰がそれを使っているのか」という情報も、シェアする人からすると気になる点です。様々なサービスをシェアするのであれば、本人確認はますます重要になってくると思います。

これから必要なユースケースがどのようなものか、コメントをいただけますでしょうか。

ジェイナー：将来の話に入る前に、今出てきた良い例としてAirbnbやシェアリングエコノミーを挙げたいと思います。規制だけでなく複数の当事者間の信頼関係も大事だからです。シェアリングエコノミーを考えると、2人同時にサービスを提供したり、受けたりすることになります。

KYCはその信頼性を高めることが可能です。さらに将来を見据えると、Veriffは「信用のインフラ」を創ろうとしています。信頼関係は1日でなるものではなく、とても時間がかかり、さらにたった1日で信頼を失う可能性もあります。インフラを構築するために、社会から信頼が得られることをやりたいと思っています。

Veriffでは個人がグローバルIDを持つことで、様々なサービスにアクセスできるようにしたいと考えています。シェアリングエコノミーを利用し、本を借りたり、医療を利用したり、銀行口座を開設したり、一つのグローバルIDですべてにアクセス可能にしたいと思います。

藤 井：どの辺りまでの情報をインフラとして蓄えるのでしょうか。

ジェイナー：留意することが2点あります。1つめは透明性についてです。人は理解できるものを信頼します。エストニア政府を例に挙げると、政府のサイトにログインすれば誰が私のデータを受け取ったのか、どのデータを受け取ったのか、全部を確認できます。

自分のデータがどのように取り扱われているかを確認できるので、政府への信頼感が高まります。Veriffもこの透明性を実現したいと思っています。透明性は信頼を得るための重要なパラメーターの一つです。

2つめはデータの最小化です。**本人認証のためのデータは必要最低限にとどめ、それ以上は要求しません。**

■グローバル化における仮説の重要さと決めつけの危うさ

藤 井：さらに進んだ話をしたいと思います。Veriffは日本のほかグローバルにサービスを展開していますが、特に日本だと個人データをどこに預けているのかという話題や、それが漏洩する事件が起きたということを、まだ各所で聞きます。

「もっとサービスを拡大したい」という企業も、データ利用に対してどこかでブレーキをかけざるを得ないという側面があります。これには本当にユーザーに不義理なケースもあれば、実際不義理なわけではないが民間の感情としてよく分からずに恐れているケースも結構あるように思います。

グローバルでVeriffのようなサービスを展開するという中で、データに対する障壁に関する国ごとの違いを感じることもあると思いますが、実際どのような経験をされたのでしょうか。

ジェイナー：少し過去に戻るが、Veriffはエストニアでは検証を重ねることができましたが、エストニアはVeriffにとって主要市場ではないという問題がありました。実際、現在いただく本人認証の検証依頼のうち、99％はエストニアではなく他国から来ています。エストニアには市民や居住者を認証するためのインフラが既に整っているからです。これがある意味での障壁の一つです。

もう一つは、グローバル化は単に言語だけの問題ではないということです。ユーザビリティテストの結果を理解し、エンドユーザーが政府発行のIDを提示するまでの信頼性を得ることが必要です。テスト結果は国によって異なる可能性があります。

ただ単に翻訳して終わりというわけにはいきません。ユーザーに安心して利用してもらうためには、それぞれのエリアにおける個別の改善点を実際に確認する必要があります。

　また、おっしゃる通りデータ流出は、Veriffが常日頃から考えているリスクの一つです。信頼をビジネスにしているVeriffにとってデータ漏洩はあってはならないことで、1回の失敗で、これまで構築してきた信頼をすべて失うリスクがあります。

藤　井：国や文化、経済圏によって反応を見ながら対応を変えるのでしょうか。

ジェイナー：仮説を持つのは簡単です。我々も人間だから何かしらの仮説は持っています。世界中で本人認証を受けると考えた場合、例えば欧州のデジタル化された地域の住民と比べて、そうでない地域の人はIDを提示してくれないだろうと仮定します。

　ただ、仮説を持つのは良いことですが、それを主要因にすべきではありません。**その仮説が地理的なものなのか、実際に正しいものなのかを理解するためには、人々と話し合い、データを検証する必要があります。**

　これに対する明確な答えは一つではなく、まさに私たちがユーザビリティの観点から解決しようとしている問題の一つにすぎません。まずは、ユーザーが何を期待しているのかを理解すべきです。

　例えばデータ処理には法的な同意が必要なのかなど、同時に解決しなければならない問題があるので、他のアクションが必要になるでしょう。

藤　井：傾向を想像して決めつけるのではなく、しっかりリサーチして知るべきことがたくさんあるということですね。
　それこそ、ユーザビリティは原義からすると日本では「使いやすさ」と訳されがちですが、特定の方々が特定の状況に置かれたときの使いやすさ、分かりやすさがユーザビリティの原義です。画面の見やすさなどの話になりがちですが、ジェイナーさんがおっしゃっているのは特定の状況においてKYCはどうなのかを知る必要がある、というユーザビリティの原義の話のように感じます。それは、「やってみて課題を把握しないと分からない」とおっしゃっているようにも思え、UXに携わるものとしてはとても心にしみました。

■社会のオンライン化には国独自の規制が必要

藤　井：瀧島さんは日本のデータの扱いについて関わってこられた方で、2019年のG20で日本が打ち出したDFFT、信頼を含む状態でのデータの流れを考えてこられました。
　日本のデータ活用についてどのように考えているのでしょうか。もしかしたら利用用途、具体例、実現が難しい部分もあるかもしれませんが、こういう構想を行政としては考えている、という話があれば教えてください。

瀧　島：安倍首相（当時）がスイス・ダボスでDFFTのコンセプトを打ち出し、その年の大阪サミット、およびデジタル大臣会合で、G20全カ国が合意しました。エストニアの方にもゲストとして来ていただいて、まさにジェイナーさんにおっしゃっていただいたこと、自分のデータがどこにあるのかが分かる、それがトラストだということをお話しいただきました。

中国も米国も欧州もインドも含めて合意をした。どういう考えかというと中身はシンプルで、データをみんなで使えるようになったら世の中が良くなるのは確かですが、トラストがないと人々は預けません。

例えば、僕が藤井さんを信頼していなければ僕のデータは藤井さんに預けません。ではなぜ藤井さんを信頼できるかというと「その話を他の人にしないに違いない」というようなことを議論して、同意したからです。

コンセプトもしくはゴールとしては良いのですが、それをいかに実現するかになると、まずは今日ジェイナーさんが紹介したIDやKYCをはじめ、誰でも使えるインターフェースが全員にないとアクセスできないので、ユニバーサルな基盤が必要になってきます。

次に、データがどのように使われているか、ガバナンスを効かせる必要があります。これは政府だけでなく、企業がデータをどう取り扱っているのかをきちんと把握できているか、という規制のエフェクティブネスに当たるものです。

こうした大きな議論の流れの中で、日本ではデジタル庁を作ってマイナンバーカードの普及も含めて進めていこうと決定しました。コロナが人々の生活に大きな影響を与えていることもあり、普及が加速しているように思います。

藤 井：ジェイナーさんは今の話をどのように思いましたか。

ジェイナー：私が見聞きしてきた中に、データ活用に規則を設けるべきということについての良い例があります。欧州ではGDPRというデータ保護規制がありますが、Veriffの場合、日本に進出して日本企業を支援する際に同様の規制があると本当に助かります。

社会のオンライン化や各国での共通化が進む中、企業と政府の緊密な協力関係が重要になってきます。そのためには企業と政府の間にある垣根をなくす必要があります。目指すゴールは同じですから、Veriffでは不正行為を防止しお客様に満足していただくために何をすればいいか日々考えています。

信頼や透明性そして政府との連携をどのように実現していくのかという例を後ほどご紹介したいと思います。

藤井：G20においては、グローバルで「こういう考え方でやっていこうよ」と合意したので、今まさにジェイナーさんがおっしゃっていたことを実行しようとしていたと思います。実際にグローバル社会がそういう方向へ向かっているのかというと、米中分断など悩ましい部分もあるかもしれないが、どうでしょうか？

瀧島：まずEUとの間で日本は「十分性認定」という仕組みで、両方の個人情報保護法のスキルを共通のものにしようとしています。これはG20の年に合意を得たので、EUとは同じポジションです。

他方で米国ではデータは自由に使おうという立場が以前は非常に強かったのですが、様々な問題がある中で、米国もプライバシーの重要性に気づいたように思います。カリフォルニアで法律ができるなどいろいろな動きがある中で、GAFAのプラットフォーマーの人たちも、データを取り扱う際の規制を共通化する重要性を認識し、きっちりコミットする必要があると考えるようになってきました。

ここ2年ほどはそのような変化が起こるでしょう。さらに、インドや中国もデータをみんなで使っていくことには原則的に合意しているので、大きな意味でいうとポジティブに見てもよいのではと思います。

藤 井：外から見ていると様々な事件があり、チグハグな方向に向かっているようにも見えますが、データをちゃんと信頼に基づいて使おう、使っていく社会にしていくべきという部分には合意ができているということでしょうか。

瀧 島：そこは共通しています。しかし、先ほどもおっしゃっていたように個人とビジネスと政府が一緒に作っていかないと立ち行かないわけで、裏で各国政府と話すとその部分が課題だという部分も共通しています。そうすると、では次はどうやってそこに至るのかという話題になってくると思います。

■市民・企業・行政の３者の対話を抜きに問題は解決しない

藤 井：ジェイナーさんから、個人と企業と行政という3つの関係性についてのお考えや経験があったらお伺いしたいと思います。

ジェイナー：先ほどお話ししたいと言った例に当たるが、まず、私たちが経験した悪い例からお話ししましょう。個人と民間企業、そして規制当局の3者がバラバラでは絶対に失敗します。だからエストニアの事例のようにまず実際に対話の場を持つことが大切です。

個人と企業、そして政府それぞれが抱えている問題をお互い理解するところから始めるべきです。なぜなら、問題を十分に理解せずに解決策を提示するのはリスクがあるからです。問題解決で最も難しい点は、問題を正確に把握し理解することです。顔を合わせ、議論を重ね、問題についてお互いが理解し合った上で初めて解決策を提示できるようになります。

例えば、Veriffのユーザーテストでは実際にユーザーと一緒に実施することでその場で問題点を聞き出します。提示した解決策が有効かどうかを確認するのではなく、ユーザーの本音を聞き出すことが大切だからです。こうすることにより、一過性の解決策を提示するのではなく、この3者がかかわる本質的問題の解決につながります。

藤 井：そろそろまとめに入ります。私自身はずっとUXの重要性を訴え続けてきた人間であり、行政・ビジネス・市民3者の意見が食い違い、話し合いが必要なときにも、さっきジェイナーさんがおっしゃったユーザーテストを通し事実を見ていくことが証拠になることや、ユーザーの反応を議論の論拠にすることは非常に効果的だと考えています。

つまり「人々はこうなんじゃないか」という決めつけではなく、しっかりとユーザーからのフィードバックを得て、ユーザーテストを踏まえた上で何が課題なのか、どこが嫌なのかということを見ていくプロセスの重要さを、改めて一連の話で痛感しました。

自分としても、それぞれの国の違いや特性を大枠で語りがちですが、実際に一つひとつの課題を見ていくと、特定の状況だからこそ起きている課題を真摯に解いていけば解決できるように思います。ジェイナーさん、瀧島さんにも今日の感想をお話しいただきたい。

ジェイナー：興味深いセッションでした。政府や民間企業、そしてユーザビリティの視点からも、私たちは同じような見方で物事を捉えていると知ることができてとてもうれしく思います。間違いなく時間のかかることではありますが、ここで話した問題やその解決法について、エストニアであろうと、日本であろうと、欧州であろうと関係なく私たちは同じ方向に進んでいます。そして、同じ価値観を持っていることを喜ばしく思います。

瀧島：私の母は、携帯電話の機種変更に行くのが怖いと言います。やっぱりどうしてもユーザビリティやユーザーのことを考えたときに忘れられがちな人が、誰の話であれば聞くのかを把握するのが難しいように思います。

どうしても強者の話になりがちですが、デジタルIDや、ICは高齢者から外国の方、小さな子どもまで、ユニバーサルに大勢が使うはずのものです。どうすれば大勢の声が聞けるようになり、大勢のことを考えられるようになるのかと改めて考えさせられました。

セッションの見どころ

このセッションを通して私が心底共感したことの一つに、ジェイナーさんから私への返答があります。私から以下のように質問しました。「グローバル展開をする際に『この国やこの文化圏では、データについてはおおむねこういう反応をするから、こういうことをちゃんとやらなければいけない』という経験則や考え方はあるのでしょうか？」

エストニアは電子国家として世界有数のレベルに達しているわけですが、そこから生まれたVeriffは、世界40～50カ国に展開をしている本人認証サービスを提供しています。私も上海でビジネスをしながら、そこでの事例を話すと、日本の方々からは「中国はデータやプライバシーについて意識していない国だからいいけど、日本はもっとプライバシーに敏感ですよね。どうすればいいのでしょうか」という質問を受けます。そこで、彼の視点からどのように見えるのか、上記のように聞いてみました。

すると、ジェイナーさんはこう答えました。

「想定するのは簡単ですよね。例えば欧州の方々はそう簡単にID提示してくれないだろう、とか。ですが、こうした想定を『IDを提示してくれない主な要因』とするべきではありません。その想定が地理的なものなのか、実際に正しいものなのかを理解するためには、人々と話し合い、検証する必要があります。まずは『ユーザーが何を期待しているか』を知り、解決すべき問題を知って対応するのです」

これは当たり前のようで、なかなか誰もができていない、本質的な回答です。国の違いを想定して、机上の空論で傾向の話を議論している暇があったら、サービスを出してユーザーからフィードバックを受け、ちゃんと問題点を検証して解決しろ、ということを言っているわけです。40～50カ国でユーザーテストをして本人認証のサービス展開をしている方が言うので、圧倒的な説得力があります。

確かに文化背景などによる違いはあるでしょうが、目的は「問題を解決してサービスをきちんと展開すること」なのだから、違いがあったとしても、解決できないということではない。

ジェイナーさんのユーザーへの真摯な姿勢が非常に印象的でした。国の違いという前提を取り払っても、目の前のユーザー・顧客に対して真摯に向き合っているか、想像だけで判断していないか、という問いは、全ビジネスパーソンが胸に刻むべきことであると感じました。

■エストニアはなぜデジタル国家になれたのか

瀧島さんからジェイナーさんに、エストニアがデジタル国家として有名になるに当たって、どのように私企業と行政が連携したり、どのようにデジタルが苦手な方々を取り込んでいったりしたのかという質問がありました。

「まず、エストニアは人口130万人という小さな国なので、例えば誰かと知り合いになろうと思うと、一人の知り合いを挟めば紹介してもらえたりします。こうした距離感でビジネスも行われていくので、例えば行政の中核にいる人とスタートアップの起業家もとても距離が近く、議論しながら共同で何かをやるのが比較的当たり前になっています」

「デジタルが苦手なシニアの方々も、若い世代が積極的に語りかけ、教室のような形で使い方を教えてあげていました。長い時間をかけて、非常にアナログな方法を、人の縁を使って行ってきたのです」

　これを聞いて、私は瀧島さんと目を合わせ「実直というか、ちゃんとしていますよね……」としみじみ語り合ってしまいました。人々が協力して、まさに「だれ一人取り残さない」を実践している姿が目に浮かびます。それだけではなく、「この規模だからこそできる人の縁を使っている」ということをどう捉えるかで、打つ手も変わってくると感じました。

　つまり、単純に規模が異なるからと諦めるのではなく、うまく人の縁を使って展開できるような規模に分割する、という思考も可能です。コミュニティーの大きさによって働きかける力や打ち手が変わるというのは、「組織やコミュニティーのUXデザイン」として、事をなすために頭に入れておきたい重要事項であったと思います。

3-3

人と社会を支えるイノベーションイネーブラー

本セッションの狙い

オンラインを前提に世の中が変化していく中、DXが必要なのは大企業だけではありません。エンドユーザー側の生活がどんどん便利になり、自分の好きなUXを自由に選べるようになればなるほど、中小企業や個人事業主もその状況に対応していかなければなりません。

しかし、大企業のように人やお金が潤沢でないため、対応に苦しむ結果になることもよくありますし、逆にこうした数多くの小さなビジネスがデジタル化する社会に適応できなければ、社会全体が変化することもありません。

インドネシアの国民的スーパーアプリともいわれるGoJekは、バイク配車やタクシー配車、デリバリーフード、モバイルペイメントにとどまらず、マッサージの施術者やネイリストを

GoJekのアプリ。様々なサービスを一体化している

家に呼んだり、買い物代行や荷物を宅配してもらったりまでできる、生活インフラともいえる総合サービス業です。エンドユーザーだけでなく、タクシードライバーやレストランなど様々なステークホルダーのUXを届けるGoJekから、UXのトップの方に出演してもらえたらこんなにうれしいことはないと思っていました。

リブライトパートナーズの蛯原さん経由で、GoJekのデザインとUXを統括する責任者であるアビニット・ティワリさんをご紹介いただいて、オファーを兼ねて一度お話ししてみました。そうしたら、すごく誠意を持ってサービスに当たっている方なので、とても好きになってしまって。もともとエンジニアだったそうなのですが、その後デザインをやるようになって、デザインとテクノロジー双方の観点を持ちながら、いかに人に受け入れられるものを作るかということを真摯に考えている方なんだなということがよく分かりました。

課題意識も近く、「ユーザーインサイトなしのビジネスはあってはいけない、そもそも成立しない時代になっているんですよね」とか「でもそういうことが理解してもらえなくて」と話したら、「藤井さん、それインドネシアでも同じでね、UXとかデザインに対する理解が本当に浅いんだよね」と、意気投合できたので、登壇を快く受けてくださいました。

もう一人の登壇者としては、同じレベルでサービス全体のことを俯瞰（ふかん）してUXを語れる方、かつ業態が近い方ということを考え、役職としてもUXを扱う、プロダクトマネージャーかCPO（チーフ・プロダクト・オフィサー）、CXO（チーフ・エクスペリエンス・オフィサー）がいないかと考えました。

GoJekはタクシーとか、フードデリバリーサービスとか、ペイメントなど多事業展開をされていて、ユーザーだけでなく、レストランやお店、ドライバーにも価値提供しているところが強みだと思います。

GoJekと同じ範囲で展開しながら、このUXを統括しているというのはなかなか日本では難しいのですが、ユーザー側だけではない、toCだけでなくtoBにも高品質なサービスを提供している企業をリストアップしていき、浮かび上がったのがhey（ヘイ）でした。heyはSTORESというサービスで、一般の人がオンラインストアを簡単に作れるようにしています。STORESと近い業態としてBASEや、海外だとShopifyなどもありますが、heyはモバイル決済サービスのCoiney*1と予約システムのCoubic*2を持っており、単なるECプラットフォームではありません。

ですから、何かやりたいことがある人が、オンラインでお店を出しつつ、リアルのお店を構えてその中で簡単にキャッシュレス決済を導入するとか、それがレストランであれば予約システムを作るとか、GoJekに近い形で他業態に展開できる可能性が非常に高い会社だなと思いました。

heyでCPOを務めているのが塚原文奈さんです。heyの場合、

*1
heyはSTORES（当時のサービス名はSTORES.jp）を運営するストアーズ・ドット・ジェーピーとコイニーがグループ化した際に持ち株会社として誕生した。Coineyの現在のサービス名は「STORES決済」。

*2
オンライン予約システムCoubicを提供するクービックを買収、統合した。Coubicの現在のサービス名は「STORES予約」。

STORESはコロナ禍で多くのネットショップ開設をサポートした

メインはtoBになります。toBの先にはもちろんtoCのエンドユーザーがいて、toBとtoCの二面市場構造の中で、どうやってUXを作っていくのか、プロダクトやサービスを作っていくのかを深く議論できるセットアップになりました。

異なる国ではありますが、エンドユーザーとスモールビジネスをつなげて社会をより良くしていくプレーヤーとして、様々なステークホルダーにとっての利便性や利益が交錯する中で、何を大事にし、どのように人々に愛されるプラットフォームを作っているのか、その共通項が見えるセッションになったと思います。

人と社会を支えるイノベーションイネーブラー

アビニット・ティワリ（GoJek）／塚原 文奈（hey）／藤井 保文（ビービット）

藤井 保文（Yasufumi Fujii）
株式会社ビービット 執行役員 CCO
/東アジア営業責任者

藤 井：DXやデジタル対応が重要だといわれている中で、テクノロジー導入が目的になったデジタル化をするケースが多く見られます。そうではなく、ユーザーインサイトに根差すことや、UXを重視する形でビジネスを作ることが重要になってきました。

STORESでは、ECや予約、キャッシュレス決済などのサービスを提供していて、GoJekはインドネシアで国民的アプリと呼ばれており、ドライバーやレストラン経営者などの方々を支えています。双方共に、スモールビジネスをやる人たちを支援しているわけですが、どうやって価値を生んで提供をしていくのか、そのときにエンドユーザーとどのようにつなげていくのかという観点で、お話を伺っていきます。

まず塚原さん、heyではオーナーが営んでいるビジネスのことを、「商売」や「ビジネス」ではなく「お商売」と呼んでいます。そこにはどんな意図があるのでしょうか。

塚原 文奈（Ayana Tsukahara）
ヘイ株式会社 取締役CPO

塚 原：私たちはオーナーさんの営みや活動自体が本当に尊いと思っています。やりたいことや自分のこだわりを突き詰めたことが、たまたま経済活動になっているみたいなところがあり、そこに敬意を表して“お”を付けています。また、「商売」や「ビジネス」より“お”を付けて「お商売」にした方がチャーミングな感じもあるので、そういう独特な使い方をしています。

私たちheyはミッションとして「Just for Fun（ジャスト・フォー・ファン）」を掲げています。それだけだと「楽しいからやる」という感覚を持つかもしれないですが、私たちとしてはこだわりなどに情熱を注いでエンジンが駆動されるところが尊いと感じているので、そこを応援しているところから雰囲気が出ているのではないかと思っています。

藤 井：今度はアビニットさんに伺います。GoJekではさまざまな新機能や新事業をどんどん展開されているように見えますが、最も重視していることは何でしょうか。

アビニット・ティワリ
（Abhinit Tiwari）
GoJek Head of product design

アビニット：何かの運用を開始するときに最も重要なのが「カスタマーをハッピーにできるのかどうか」です。他の誰も解決していないカスタマーの問題を解決できるのか、もし他の誰かが解決しているのであれば、私たちはよりシンプルな方法で解決できるのか、既存のどのソリューションよりも多くのカスタマーに使ってもらえるのか、といったことを考えます。

次に考えるのが「ビジネスにとって付加価値になるか」です。そのとき、それが本当に長期にわたる価値なのか、それとも半年で終わってしまい、最終的にはむしろ商品の複雑性を増してしまうものなのかなどを見ています。

基本的にソリューションに行く前に、問題を可能な限り理解するようにしています。GoJekではアイデアがカスタマー、エンジニア、ビジネスサイドなどあらゆるところからやって来ますが、まずはカスタマーの

元に直接訪問して、カスタマーの背景や問題が生じた経緯を理解することから始めます。取り組む問題には解決するだけの価値があり、それを解決することでカスタマーがハッピーになれることを確認します。

藤 井：私がUXのコンサルティングをやる中で、大企業のお客様の場合は「ビジネスモデルを先に出してほしい」という話になることが多くあります。それに対して、アビニットさんの話だと問題を深く理解することから始めているようです。まずやらなければいけないのはユーザーインサイトなのでしょうか。それともやはりビジネスなので、ビジネスモデルから始まるべきなのでしょうか。そのあたりの考えや、会社で持っている共通見解などを教えてください。

アビニット：GoJekのデザインチームはいくつかの価値観を持って

いますが、その一つは「カスタマーにとって良いことはビジネスにとっても良い」というものです。だからこそ私たちはユーザーインサイトから入ります。暮らしの中にある問題を特定してソリューションを提供することで、そのソリューションに価値が生まれます。その付加価値に対してカスタマーはお金を払うんです。

ビジネスモデルから入るのは、ときにトラブルのもとになると思います。例えば、長期的に見て自社のプロダクトをより複雑化してしまうようなビジネスモデルを持つ企業もあります。また、このようなビジネスモデルによって、企業がカスタマーのプライバシーを侵害することもあり得るので、私はユーザーインサイトから入るべきだと考えています。

■できるだけシンプルに作った上で、必要な人にだけ複雑さを見せる

藤 井：ビジネスモデルから入ると機能の複雑性が上がる心配があるとのことですが、製品やサービス上、ビジネスとしては増やしていった方がいい、もしくはお客様の要望として増やした方がいいという場合も多くありそうに思います。

サービスを作る上でお客様のペインポイントが100個あったら、100個全部解決してあげたいわけですが、機能が仮に100個になってしまうとユーザーは理解できなくなります。シンプルさと機能性や機能拡張について、どういうことを大事にしていますか。

塚 原：これはすごく難しい問題で、それこそデザイナーの腕の見せどころだと思います。基本的に私たちのサービスの視点で言うと、ITリテラシーの高い方々ばかりではないことと、さまざまな考えや職種の方が使うことから、できる限り分かりやすくて迷わないというポイントを基にデザインすることが多くなっています。機能を拡充すること自体は悪いことではないですが、シンプルさを基本的に保ちながら、必要な人にだけ見せるなど、バランスを取りながらやっています。

藤 井：アビニットさんはシンプルさと機能性のバランスについてどのような考えでしょうか。

アビニット：まさに塚原さんの言う通りで、テック企業はそこが最も厄介なのです。ある問題を見て、「この問題を解決すべきで、カスタマーも気に入るだろう」と言うのはとても簡単ですが、一度世に出してしまったサービスやプロダクトを止めるのは非常に難しいのです。

だから私たちは「何をすべきでない」のか、プロダクトの何がうまくいっていないのかについて、解決すべき新しい問題と同じくらい時間をかけて考えています。カスタマーがどのようにGoJekのプロダクトを使っているのかも常にモニターしています。

私たちはできるだけたくさんの人の役に立つものを優先していますが、ある程度の複雑さは必要になります。テクノロジーに疎いカスタマーでも、時間をかければ操作を学ぶことができますが、そのためには、時間をかける価値があるものでなければいけません。

例えば最近のスマホのカメラアプリはとてもシンプルですが、一眼レフカメラのようなボケ味を求めるなら、もっと複雑なカメラアプリにしないといけません。その複雑さが価値を生むからです。

レストラン向け支援アプリ「GoBiz」のユーザーの中には個人事業主もいますが、それだけでなく中小企業から大企業まで顧客は様々です。だから「シンプル」というのは状況によって変わります。多くの人にはプロダクトの複雑さを隠して本当にシンプルにした上で、必要な人にだけ複雑さを見せるというのが目指すべき形です。

藤 井：アビニットさんの話の中でユーザーを成長させるというのが興味深いです。具体的にはどのようなカスタマージャーニーを描き、どのように学んでもらい、成長してもらうのでしょうか。

アビニット：そこは本当によく考えているところです。例えば何かを学ぶときは一貫性があった方が学びやすくなります。多くの人はAndroidやiOSを使っているので、私たちはそれらの決まった操作方法を踏襲しています。

まず心がけていることは、完全に新しくはしない、ということです。デザイナーはアーティストになろうとしてしまうことがありますが、あまりにもユニークだと理解されないため、そうならないようにしています。2つめはサービスの一貫性です。例えばどこかに行きたいときには先にピックアップする場所と行く場所を伝え、次にサービスタイプを選択します。フードデリバリーの「GoFood」でも、最初に配達する場所と食べ物をピックアップする場所を指定するというように、これらのUIがGoJekのすべてのプロダクトで一貫性を持つように心がけています。

何をするにしても、以前カスタマーに教えたことは何か、そして新しいことを学ばせるのではなく、既に学んだことを活用できないかと考えるようにしています。

私たちは常にプロダクトを初めて使うユーザーを前提に設計しており、教育レベルや話す言語に関係なく、新規のカスタマーを対象にテストするようにしています。初めてそのテクノロジーに触れるユーザーを念頭に置きながらプロダクトのデザインをし、たくさんのテストを行っています。

■会社のミッションを共有して意思統一を図る

藤 井：先ほどの話の中で、「やらないことを決める」という話がありました。やるべきことの優先順位を付けて進めていくというのはよくある話ですが、逆にこれは自分たちが目指すサービスとしてやるべきことではないと判断することもあると思います。塚原さんは、実際にそういう経験があるでしょうか。

塚 原：お客様に対して誠実かどうか、信頼してもらえるような行動がすごく大事になります。信頼を毀損してしまう行動や表現、そう捉えられかねないようなことはしない、ということはあります。

藤 井：それをする中で、チームが意思統一できるようになるまでの文化形成や、認識をそろえることがすごく大変だと思います。

塚 原：人数が多くなってくると、あうんの呼吸でデザインもシステムも作れなくなってきます。例えば私たちのサービスの中には月額利用料をいただくケースがありますが、その値上げはすごくセンシティブです。値上げをするときには、なぜするのか、どれぐらいするのか、そのときにお客様はどう思うだろうか、などを社内に対してきちんと説明します。そこでみんなが納得してもらえるようなアクションを取るのと、お客様に対してもきちんと説明をすることを心がけています。

お客様がマイナスに感じてしまうと予想した場合は、できる限り付加価値としてプラスの情報やプラスの機能もセットにして出す、といったところを重視しながら作ることがよくあります。

藤 井：GoJekではやるべきではないことなどの判断基準を社内もしくはデザインチームとして共有しているのでしょうか。

アビニット：GoJekには「カスタマーの暮らしからフリクション（摩擦）を取り除く」というミッションがあり、私たちはそのために存在しています。私たちは「これをやるべきか」という問題に直面したときに、常に「私たちの存在理由は何か」に立ち返ります。正直、創業した頃はドライバーを傷付けたりブランドを深刻に損なったりするような決断以外は何でもやりました。しかしその後は私たちのミッションに沿っているかに重点を置くようになっています。

もう一つ重要なのがリーダーシップです。会社には継続的にミッションを説明したり、みんなと議論したりするリーダーが必要です。

会社の文化を形成するためには、功績を認めることも非常に重要です。今は会社もかなり大きくなり、誰かがしたことがカスタマーにとって大きな付加価値を生み出したり、たくさんの意見の相違を解消してカスタマーの生活が楽になったりしたときに、リーダーがそれを認める必要があります。ミッションに忠実な人たちをリーダーが認めることで、文化が形成されていきます。

ミッションに反した場合にはそれを罰するのではなく、「こんな結果になったが、これはすべきではなかった」と認めて事例として広く共有し、失敗から学び、同じことを繰り返さないようにすることが重要です。

その例を1つ挙げましょう。かつてGoJekのプロダクトにはカスタマーがプロダクトに費やしている時間を表す数値や指標をモニタリングする機能が搭載されていました。ところがあるときに社内で「私たちのミッションは人々の暮らしからフリクションを取り除き、時間を無駄にさせないことなのに、なぜ20秒、30秒と余計に時間を使わせようとしているのか」という意見が出ました。結局プロダクトを使った時間をモニタリングする機能は削除することになりました。ミッションは最も重要なもので、存在理由は何かを自問し続けることで、やるべきでないことはやらなくなるのではないでしょうか。

藤　井：説明責任が重要になるフェーズや、表彰制度のようなものによって文化形成をしなければならなくなるフェーズはいつ頃でしたか。

アビニット：状況によって説明責任の重要性が変わることはないと思いますが、社員が150人や200人を超えると、1人のリーダーだけでは企業文化の整合性を保つことが難しくなるということを学んできました。これだけの人数になると全員と人間関係を築くのは無理なので、プロセスを確立して自律的なチームを立ち上げ、各チームに説明責任を負って企業文化推進の基礎を担うリーダーを置くことが重要になります。

*3
2021年3月時点。

塚 原：私たちは現在300人の手前ぐらい[*3]で、まさにそのフェーズだなと思いながら聞いていました。GoJekの場合、デザイナー組織は何人ぐらいで運営しているのでしょうか。

アビニット：約150人のデザイナーが、およそ24のプロダクトを設計しています。

塚 原：私たちも経営陣だけではなく、メンバーが自主的に説明責任などを担うタイミングにまさになっていると感じています。

■社内で対立構造を生まないために複合チームを作り上げる

藤 井：GoJekの場合は、多面市場と言っていいと思いますが、ユーザー側とオーナー側があり、その両方に対してUIが存在し、オーナー側にもドライバーやレストランのオーナーなどたくさんの人がいます。プロダクトがたくさんあると、普通はそのプロダクトごとにチームを作って開発することが多いと思いますが、エンドユーザー側のチームと、オーナーや加盟店を増やしていくビジネス開拓チームが全く連携できていないという悪いケースもありえます。それらの連携はどのように取っているのでしょうか。

アビニット：私たちはビジネス担当者もコンシューマーサイドを見ている人も含めたプロダクト開発グループというチームを作っています。

GoFoodの場合、1つのチームにビジネス責任者、プロダクト責任者、デザイン責任者、エンジニアリング責任者がいて、共同で目標を設定します。

例えばある年に「顧客成長を強化するためにはGoJekの加盟店を増やすべき」と考えたとしましょう。カスタマーサイドの誰かが「私の目標はもっとカスタマーを獲得することだ」と言ったとすると、両方を目標にすることはできません。しかし彼らを1つのチームにまとめれば優先順位を付けられる。「最初の6カ月は加盟店を増やすことに全力を注ぎ、次の6カ月間はカスタマーを増やすことに集中しよう」ということになるかもしれません。

これら2つの部門やチームにそれぞれ対立する目標を持たせてしまうことが問題の原因です。GoJekでは「OKR（Objectives and Key Results）」、つまり「今年成し遂げたい目標」を設定し、次にそれを達成したかどうかを計測するための主要な結果を指標として挙げています。OKRはトップダウンで設定しますが、同時にボトムアップでもあります。

ビジネスチームが加盟店を伸ばすために戦い、プロダクトチームがカスタマーを伸ばすために戦うような状況を許していたら、戦わずして負けているようなものです。少なくとも一定期間は、どちらかを選ぶ必要があります。

塚 原：私たちの会社はまさに300人ぐらいなので、ビジネスとプロダクトをスケールさせていくための組織と、1チームで各プロダクトを伸ばすところのせめぎ合いが生じているところです。3社が統合した会社なので、もともとはプロダクトに紐づいて社長がいて、事業部制のような組織でしたが、これからスケールさせていくためにジョブ型組織に変更したところです。組織図としては職種ごとに分かれていますが、プロダクトの責任者は組織図上とは別で、プロジェクトチーム的に集まったプロダクトの担当グループがいる形にはなっていますが、それが今のフェーズに合っているのかどうかの答えはまだ出ていません。

GoJekの場合は、組織図と、実際に動いていくときのプロジェクトオーナーは別なのでしょうか、一緒なのでしょうか。

アビニット：私たちも過去には似たようなことがありましたたが、年々、より自律的なチームを増やす方向に変わってきています。トップマネジメントは自律的なチームが対立する目標を設定しないようにするのが仕事です。

トップマネジメントが「北極星」となって最終到達点や最大目標を各チームに設定し、全員がそれに向かって努力するようにしなければいけません。しかし構造面では、私たちはそこからシングルスレッド・リーダーと呼ばれるものに移行してきました。

つまりビジネス、エンジニアリング、デザイン、プ

ロダクトさらにはリサーチも全部チームに入れてしまい、全てに責任を持つ1人のリーダーを置きます。ある程度の規模になるとそれが必要になってくると思います。以前はプロジェクトやプロダクトごとで責任者が違いましたたが、今は統一しています。

複雑な組織なので、チームの構造について話すのは難しいですが、マトリックス組織と呼ばれるもので、職種で分けられたラインと、担当するプロダクトやプロジェクトのラインが交差するような形式になります。エンジニアはエンジニアリング部門にレポートし、他にデザイン部門、プロダクト部門などがあります。このほかGoFoodだけを見ているチームもあります。

つまりGoFoodのリーダーは1人で、その人がGoFoodのエンジニアリングの品質、デザインの品質、プロダクトの品質、ビジネスの成長、すべてに責任を持っています。その一方で、各部門に別のリーダーもいる形です。

■テクノロジーに加えてユーザーインサイトも追い続ける

藤　井：現在、世の中の変化がものすごく速い中で、さまざまなサービスや新しいテクノロジーが出てきています。エンドユーザーもオーナーも環境がどんどん変わってきている状況だと思います。デザインヘッドやCPOの立場から見て、こういった世の中の変化やその兆しを捉えるのがすごく重要なのではないかと思いますが、それをどのようにつかむようにしているのでしょうか、またそれをどのように社内で共有するようにしているのでしょうか。もし考えがあれば教えてください。

塚　原：私たちは、まずはオーナーから学ぶ姿勢を大事にしています。何百年も続く老舗のお菓子屋さんやお肉屋さんから、20代前半でブランドを立ち上げてD2Cで脚光を浴びるような方々までたくさんのオーナーがいるので、そういう方々から学ぶことが重要です。実際に話を聞いたり、お商売の内容を見せてもらったりしています。一方でインターネットを駆使した最先端の人たちが次は何に興味を持っているのか、どういう動きをしているのかみたいなことを学びに行くこともしています。

アビニット：創業時には、一般的に創業者がカスタマーの生活の多様性について何らかのインサイトを持っていて「この問題を解決すればみんなが気に入ってお金を払ってくれる」と考えます。しかし会社の規模が大きくなるにつれて、創業者がインサイトを提供し続けるのが無理であることに気付き、これを専門化して「UXリサーチ」という組織ができました。

ここまでデザインの話をしてきましたが、GoJekではUXリサーチも大きな組織です。これは継続的にカスタマーと会話し、新しいインサイトを集める部隊になっています。彼らはこのインサイトをパッケージ化し、多くのGoJek社員が参考にして学びたいと思うような形にまとめ上げるということをやっています。

例えばGoJekに入社すると、新人教育の一環として「イマージョン・エクササイズ」と呼ばれるプログラムに参加します。そこにはUXリサーチのチームがいて、ドライバーや加盟店、カスタマーとのインタビューに同行します。

毎月定例で「ドライバーに何でも聞いてみよう」「加盟店に何でも聞いてみよう」というセッションを開いています。これは、社内の誰もが加盟店やドライバーに何でも質問していいというものです。

長年続けているので、過去のリサーチ結果も蓄積されて役立っています。それらを遡ることで、なぜそのような機能を作ったのか、あるいはなぜそのようにデザインされているのか、当時の人は何を考えていたのか、当時どのようなインサイトを持っていたのかなどを確認できます。

こういう活動をたくさん進めてきたのは、GoJekが多文化企業だからかもしれません。私はジャカルタに住むインド人で、インドネシアのカスタマーのための設計をしています。他にもシンガポール、タイ、ベトナムにカスタマーがいますが、何もかも自分で把握することは難しいので、全社的に利用できるしっかりしたリサーチプログラムが必要になります。このようにして、私たちは物事の方向性を見極めようとしています。

デザインとプロダクトには、見るべき2つの分野があると思います。一つは「人」です。将来、人は何を求めるのか。もう一つは「テクノロジー」です。こちらの方がはるかに予測しやすいと思います。これらの最新情報に乗り遅れないようにどちらもリサーチをするようにしています。

セッションの見どころ

L&UX2021の登壇者の中で生粋のUX専門家といえば、このセッションの2人に加えて、Tencentのエンヤさん（コラム1）、DiDiの程峰さん（コラム2）、Veriffのジェイナーさん（3-2）、Instagramのイアンさん（3-4）、そしてTHE GUILD兼noteの深津さん（コラム1）の5人ではないかと思います。この計7人全員に共通するのは、ビジネスやサービス作りにおいて「ひたすらユーザーに会いに行く」ことを起点にしていることでしょう。特にこのセッションではこの話が深く展開されます。

例えば、新規事業を考える際に、大きな企業ではどうしてもビジネスモデルと収支計画を提出させられることが多いですが、ユーザーインサイトとビジネスモデルでいえば、お二人とも「確実にユーザーインサイトが先」であると言いますし、そうでないとユーザーに愛され、使い続けてもらえるコアな体験を作ることができず、どんなにビジネスモデルを描いても絵に描いた餅になってしまう、と言います。『アフターデジタル2 UXと自由』の中でも、体験提供型のビジネス（バリュージャーニーモデル）を創り上げる際の方法論として、「世界観とコア体験を作る時にはビジネスモデルから考えない」と書いていますが、彼らはまさにそれを実践していると言えます。

不思議なジレンマが起きているように感じるのは、本来体力のある大企業の方が「とにかくユーザーに寄り添ったUXを作り、赤字でもいいから愛される」ことに投資しやすいように思いがちですが、実際にはそのように動いているのはスタートアップ企業ばかりです。株主への説明などが理由に挙げられることもありますが、戦略として利益の数％はこうした投資に使う、と決めることも可能なように思います。

多くの企業には「ユーザーに会う」ということをせずに、机上の空論で描いたUXを押しつけのように提供する傾向がありますが、成功企業は皆すべからくユーザーからのフィードバックを得ながら進化させており、自身もユーザーとして使ってみる方々も少なくありません。自らがユーザーとしての判断基準を持つことができれば、サービス作りをしていてもそれが受け入れられるかどうかを、提供者である自らが判別することができるようになるでしょう。

■抜け道を探すUX

話題はサービスの成長のための考え方にどんどんと入り込んでいきます。挙げられたトピックの一つは、「toB向けのメリットとtoC向けのメリットが異なり、どちらかを犠牲にしなければいけないときにどう判断することにしているか」。例えばレストランなどの店舗はポイントカードの発行やメールをたくさん送ることを通して、店舗への再来訪を増やしたいと考えますが、ユーザー側は多くの企業にそれをやられると困ってしまいます。

このセッションで結論となったのは、「できる限りネガティブが起こらない抜け道を探す」ことです。例えば出前を頼んだけど、注文を間違ってしまったり、一緒に食事する相手も同時に注文してしまったりして、キャンセルをしないといけない瞬間は起こり得ます。こういったケースに対して、GoJekでは「ユーザーがキャンセルを完遂するには普通どれくらいかかるか、またキャンセルが遅くなったとして、どれくらいならキャンセルを受け付けられなくても諦めがつくか」、一方でレストラン側は基本的にはキャンセルは受け付けたくない中で、「どれくらいの長さまでならキャンセルが来ても納得できるか」、また「双方に対してどのようにそのポリシーを告知するか」といった「何分何秒のせめぎ合い」を重大な問題として取り扱い、決定するそうです。

B側とC側の双方がいる二面市場であるため、ユーザーの総数が減ると結局レストランなどのサプライヤーからの魅力が減りますし、一方サプライヤーの満足度が下がって使われなくなると、登録店舗数の少なさによってユーザーにとっての魅力が減ってしまいます。様々なステークホルダーがいる中で、「どこで折り合いをつけるか」はついつい「細かすぎるし、何でもいいから適当なところで決めてしまえ」と思ってしまいそうですが、その適当なところを決定するために多大な労力をかけています。

また、ユーザーを成長させる方法、例えば新機能の使い方などの新しいアクションを覚えさせる方法も議論になりました。

機能が増えれば増えるほど他社と差別化できると考えがちです。これ自体は正しいのですが、実際には多機能になってシンプルさが失われたり、自分が使わない機能で画面が埋め尽くされたりすることが多く、ユーザーが魅力を感じなくなって離脱していく結果に終わることも多いのが実情です。

ここでは大きく2つの方法が推奨されました。一つは、その機能が必要な人や必要な局面に対してしか現れないようにすること、もう一つは同一サービスや世の中でよく使われるサービス上に存在する「ユーザーが既に学んでいるアクション」と同じやり方を踏襲することでした。特に後者のように、一度使ったことがある機能やいつも使っているサービスと同じような挙動であれば、学習コストが非常に低く、新しい機能を発見して使い慣れてくれるようになります。1-2で登壇いただいた

Zホールディングスの川邊さんも、社会のデジタル浸透を加速するにはユニバーサルデザインが重要であるというメッセージを発されていますが、なるべくユニバーサルな挙動を作ることで、ユーザーが使い続けてくれるようにすることが重要になります。

メーカー的な思想では「そんな細かいことはユーザーが何とか乗り越えてくれる」「誰かがよろしく決めてくれればいい」と思ってしまいそうなのですが、例えばアプリやウェブサイトにおけるこうしたUXの機微は、自社のキラー製品の体験と同じです。リアルの製品を作るときにはおそらくかなり細かいところまでこだわり、プロダクトに載せる言葉一つひとつや、使う際にどれだけ他社より便利かを真剣に考えると思いますが、デジタル接点においてもまったく同じで、上記のような努力はまさに「メーカーがプロダクトを作る際のそれである」と言えるでしょう。実際、heyの塚原さんやVeriffのジェイナーさんはCPO＝Chief Product Officerであり、自社の顔はまさにそのデジタルプロダクトであると考えていますし、2人ともUXをプロダクトのコアであると考えて、真剣に細部まで取り組んでいます。

まさに「価値の源泉がUXに変化している」ということを捉えて、何を重視すべきかの優先度を再構築する必要がありそうです。

column 2

デジタル×リアルのUXアーキテクチャー

程 峰（DiDi）／藤原 彰二（出前館）／藤井 保文（ビービット）

多くの企業が、オンラインとオフラインの融合、OMOの実践に悩まされる中、この実現はなかなかに難しく、オフライン由来の企業はオンラインに弱く、オンライン企業はオフラインに弱い、という状況になっています。

このセッションでは、日中を代表するOMO企業としてDiDi[*1]のクリエーティブ統括、程峰（チェン・フェン）さんと、出前館COOの藤原彰二さんに登壇いただきました。DiDi、出前館共に、デジタルとリアルを融合させてサービス展開を行う日中の代表企業であり、サービスの価値定義やポジショニング、UX作り、ブランドやデザイン、全てにおいて先進的取り組みを行う企業であると言えるでしょう。この2つの企業の考え方や成功要因を、最新のものに限らず、どのように発展してきたかを含めて伺いました。

UXの具体的取り組みや事業拡大の話が中心になるかと思いきや、意外にも組織論が中心となり、OMO実現のためにあるべき組織やケーパビリティの話になっていきました。

*1
滴滴出行。中国の配車サービス企業。国内ではソフトバンクと合弁でDiDiモビリティジャパンを運営している。

■全員がUXを考えられる組織

2017年ごろ、私が上海でリサーチをしていたときに、「DiDiにはUXの専門職がいない。なぜならUXに理解があり、一定以上能力がある人しか雇わないからだ」という話を聞いたことがありました。DiDiの内部の方から聞いていたので、信ぴょう性があるとは思いつつ、実はこの撮影の日まで半信半疑でした。

そこで、撮影であえて聞いてみました。

「以前に聞いたことがあるんですが、DiDiにはUXの専門職の方はおらず、基本的には全員がUXに取り組めて当たり前、という形になっているというのは本当ですか？」

すると、以下のような回答が返ってきました。

「はい、事実です。DiDiのビジネスモデルはこれまでの中国の伝統的なインターネット企業、純オンラインのインターネット企業とは異なります。伝統的なウェブサイトを運営する会社の場合、UX部門とはデザイン部門に当たります。というのもデザインはユーザーのオンラインの情報アーキテクチャーやインタラクション、UIなどをカバーしているため、ユーザーによるすべての操作は基本的にこのオンラインのインターフェース上で完結します。ですので、純オンラインのインターネット企業においては、これがUXに相当するのです」

「しかし、オンラインとオフラインにまたがるモデルの会社においては、UXは一筋縄ではいきません。DiDiの乗客用アプリではオンラインの一部の操作しかできません。そのため社員全員がそれぞれのセクションや立場で、UXという意識を持っていなければなりません。でなければ、会社全体の全てのユーザーフローにおけるUXの改善は不可能です」

この発言には様々な示唆が含まれています。まず、顧客接点が多岐にまたがる場合に、全ての顧客接点において発生するUXをより良くしていかねばならない、という前提が存在しています。多くの企業においては、UXの専門家は特定のデジタル部署の中にいることが多いですが、そもそもUXをデジタルのものとして捉えていない点が重要です。

他にも、横串部門としてUX部門を整備し、会社全体の体験を管理する組織構造になることも見受けられます。この場合、「全ての顧客接点がUXを提供しているのだ」という認識はあるのですが、そう思っているのは一部のマネジメント層とUX部門の人だけで、実際に様々な部署に行ってUX改善の話をすると煙たがられることが非常に多いのが現状です。

全社でUXに対する意識が持てている場合、ユーザーを主語にして語ることができるので、こうした横串活動もやりやすくなるでしょう。

『アフターデジタル オフラインのない時代に生き残る』の中でも、DiDiの事例は特にドライバーを含むUX設計の例としてUberよりも優れた仕組みになっている、という話をしていますが、体験価値を担保し改善する上で、全員がそれを理解している組織を作ることの強さがうかがえます。

■横串組織の難しさ

オンラインとオフラインにまたがるUXを作る上で、藤原さんから「いかに組織横断的な意識を作るか」という文化醸成の話が展開されました。

出前館は20年近くの歴史があるデリバリーの老舗ですが、2016年以降LINEと連携を強め、藤原さんはLINEのグループ会社の経営をされた後、2020年から同社のCOOに就任されています。LINEとつながることで、出前館はデジタル接点を強化し、顧客接点がより強化されるわけですが、藤原さんが全ての顧客接点をシームレスにつなげる活動をしようとすると、縦割りの構造で意識が目の前のKPIにのみ向いてしまったり、横串にしようにも新しい競合がどんどん参入する中で自社サービスに誇りが持てないケースもよく見られたそうです。

出前館と言えば最近はテレビCMでダウンタウンの浜田雅功さんが出演されているイメージが強く残りますが、こうした露出も認知を獲得するビジネス目的だけでなく、社内のメンバーに対する、自社サービスに誇りを持ってもらいたいという狙いが含まれているそうです。こうした意識改革だけでなく、特定のプロジェクトや目標を掲げて、それを組織横断で取り組む活動もされており、そのときには藤原さん自身がプロジェクトオーナーとして立ち、サービスグロースを行っているとのことでした。

このような「グロースを目的に横断的にプロジェクトチームが立ち上がって成果を出していく」というやり方は、DiDiやGoJekでも当たり前のように実施されており、heyも同様の組織構造で動いています。UXを重視する、またはデジタルサービスやソフトウエアのようにグロースするとなれば、この方法はもはや定石と言えるでしょう。

一方で、縦割りの文化がなじんでいる場合にこの考え方を導入する際の落とし穴として、非常にリアリティーのあるコメントも伺うことができました。

「多くの企業や組織では、横断的に動いていく人材を評価する指標を持っていないため、成果が出せないんですよね。一番苦しいのは、横断的に動くことは価値を担保し改善する上でも非常に重要なんですが、そういった活動に貢献した立役者が実際には評価されにくく、出世がしにくいというところなんです」

DXのような変化を伴う活動では特に難しいですが、どのように組織を作るかだけでなく、評価形態も合わせて実践しないと、なかなか組織の推進力が上がらないということを端的に示しています。

L&UX 2021

To an Era in Which People Can Choose Their Own UX at Any Given Time

AFTER DIGITAL SESSIONS

3-4

リアルをのみ込むデジタルコミュニティー

本セッションの狙い

リアルとデジタルが融合する中、コミュニティーの在り方、人のつながり方はどんどん様子を変えています。言語や場所などの様々な制約を飛び越えて、ビジュアル、ゲーム、キャラクター、アイドルなどの「渦の中心」に集まるファンたちは、時に自らが渦の中心になりながら、その渦を大きくしていきます。

SNSやライブ配信などのソーシャルプラットフォームが多様に広がる中、人々はこれらの新しい使い方や組み合わせによって、新たなコミュニティーの在り方や、情報の広がり方を生み出しています。これはカルチャーに留まらず、時には政治的な分野まで転用されますが、再現性を持って行政やビジネスに活用されているケースはまだ多くないように見えます。

このセッションでは、SNS、ライブ配信などのソーシャルプラットフォームや、K-POP、ゲーム、インフルエンサーなどのコンテンツを通して、デジタル前提時代のコミュニティーがどのように現実を塗り替えていくのか、その現状と活用可能性を

テトリス エフェクト

掘り下げていきます。

ご登壇いただく一人目はInstagramの日本プロダクトチーム責任者であり、来日前はInstagram全体のデザイン責任者であったイアン・スパルターさん。Netflixの番組、『アートオブデザイン』でも特集される、ワールドワイドに有名なデザイナーです。ご登壇を快諾いただいた際に、彼から「デザインとテックの最先端の話ができるといいですね」という言葉をいただき、テックとエクスペリエンス＝体験作りという切り口で最先端のことを話せる方として、水口哲也さんが浮かび上がりました。

共感覚をテーマにするアーティストであり、「Rez」*1や「テトリス エフェクト」*2などで日本を代表するゲームクリエーターである水口哲也さん。彼の作る没入体験は、体験した前と後で見る世界が変わるほどのインパクトを持ちます。このお二人を繋ぐのが、黒鳥社の若林恵さん。カルチャーとビジネスを行き来しながら新しい未来を見定めていく、日本屈指の編集者です。

私は若林恵さんの創るコンテンツのファンで、DXやUXの文脈では『NEXT GENERATION GOVERNMENT 次世代ガバメント』*3を出版され、最近では『GDX：行政府における理念と実践』*4というハンドブックを無料で公開されています。そこでは「行政デジタル化を担当した海外の省庁に四か国分インタビューし、DXとは何かと聞いたところ、四か国全てから『ユーザー中心ということです』と返ってきた」という話が書かれており、まさにDXとUXの繋がりが語られていました。カルチャーからDXやUXに繋ぐにも、これ以上ないモデレーターです。

若林さんと議論し、「SNSやデジタルコミュニティーを中心

*1
2001年に発売されたゲームソフト。シューティング・ゲームと音楽を融合させた。

*2　テトリス エフェクト
テトリスをベースにして音楽や美しい映像を融合したVR対応ゲーム。2018年発売。

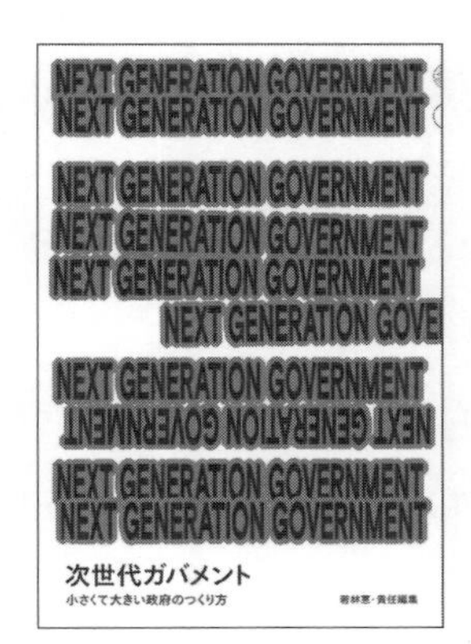

*3
『NEXT GENERATION GOVERNMENT 次世代ガバメント』／黒鳥社、若林恵著

*4
一般社団法人行政情報システム研究所のサイトで無料配布している。
https://www.iais.or.jp/reports/labreport/20210601/dx2020/

にして、今起きていることを語る場にしよう」と意気投合したのがこのセッション。デジタルがリアルに浸透した今、コミュニティーや人のつながりがどのように生まれ、どのような可能性や課題を感じるのかを伺っていきました。

リアルをのみ込むデジタルコミュニティー

Ian Spalter（Instagram）／水口 哲也（エンハンス）／若林 恵（黒鳥社）

若 林：まずは水口さんから、近況、活動や興味についてお伺いできますか。

水 口：半分はゲームクリエーターとしてゲーム制作、もう半分ではシナスタジアラボという共感覚のリサーチと作品作りを行っています。共感覚だけではなく、自分がゲーム業界に入るきっかけになったVR*5やAR*6についてもリサーチしていて、これらを行ったり来たりしながら活動しているので、自分たちのドメインも「ゲーム作り」ではなく、「体験をアーキテクトする」という形になってきています。

若 林：なるほど。ARはイアンさんにとっても関わりの深い領域ではないか、という感じがしますが、いかがでしょう。

イアン：そうですね、スマホのカメラにおいても、人気があるARフィルター（表情に合わせて顔にエフェクトをかける効果）がたくさんあります。これは人々がARに触れるきっかけとなっていますよね。Instagramでは、こうしたARフィルターを作るための開発者向けプラットフォームや、利用者がそれらを楽しみやすくするためのプラットフォームを用意しています。多くの人がARを体験している段階、と言えるのではないでしょうか。

　より楽しい体験が提供されることで、カメラの可

若林 恵
(Kei Wakabayashi)
黒鳥社

水口 哲也
(Tetsuya Mizuguchi)
エンハンス 代表 / シナスタジアラボ主幹

イアン・スパルター
(Ian Spalter)
Head of Instagram Japan

*5
virtual realityの略。仮想現実。仮想空間の映像が現実のもののように見える技術。

*6
augmented realityの略。拡張現実。現実の映像をベースにコンピューターによる映像を付加して現実のように見せる技術。

能性を人々が再認識していると感じます。もはや単なるカメラではなく、コンピューターが取り付けられたカメラなので、単に何かを撮影するのではなく、見ているものを変えたり、見る体験を変えたりできる。Instagramもこれらに取り組んでいますが、私がInstagramに入社したときにはなかった技術なので、これは新しい展開ですね。

若 林：この領域はこれからまだ進化していくのでしょうか。

イアン：そう思います。「カメラでできること」に対する人々の期待が変わってきていますし、「どのように自己表現できるか」の可能性を広げるための、新しいクリエーティブなキャンバスが生まれています。

開発の視点から見ても、クリエーティブな開発者が新しい体験を作り出すだけでなく、消費者が自ら簡単にフィルターを作成することもできますので、利用のハードルは非常に低くなっています。しかも多くの人が簡単に使えるため、世界的な現象になっているという点がとりわけ興味深いです。特別なハードウエアを持っていなくても、誰でもクリエーターになれます。新たなフィルターを創り出すコンピューターを誰もが持っており、それを使って新たにつくったフィルターを公開すれば何百万人という人に使ってもらえる可能性があります。これはInstagramのユニークネスであると同時に、今の時代の象徴的な現象と言えるのではないでしょうか。

若 林：ここでいうARフィルターのような、いわゆるスマホで撮ると様々に加工ができるような技術と、水口さんの取り組みとは、どのように関係しているのでしょうか。「スマホでできること」は、やはり意識されていますか。

水 口：デバイスの違いは、確かにユーザーにとっての体験や楽しみ方において違いを生み出してはいますが、裏側で使われている技術は融合し、共通化し始めていますよね。例えば最近のARの作品でも、カメラによるLiDAR*7やフォトグラメトリー*8などを統合的に使って空間をスキャンするということが普通に行われていて、2Dから3Dに行く要素技術の深度がカメラ側で増してきています。2Dの画面にとらわれず、画面の境目がない3Dへと移行していく未来の予兆は見え始めていますし、その変化は技術レベルでは既に起こり始めていると思います。

*7
Light Detection and Ranging の略。対象物との距離を測定する専用のデバイス。

*8
物体を様々な方向から撮影して3Dのモデルを作る技術。

若 林：とはいえ、これはVRにおいては顕著ですが、新しいデバイスが登場しても、それが日常で使われるほど習慣化するイメージはまだ持てないところもあります。当面はスマホにあらゆる物事が集約されていくのだろうと感じますが、水口さんはどう捉えていますか。

水 口：スマホ優位はしばらく変わらないと思いますが、スマホはここ10年くらいで爆発的に進化したものの、この進化が、今後20年、30年先と続くとも言えませんよね。社会の中でスマホのように日常的に使われるデバイスが出てくるとしたら、それはVRではなくARやMR[*9]の延長線上にあるものだと思うのですが、とはいえ、そこにいくまでには、やはり、まだまだ時間がかかりそうです。

ただ、自分としてはVRを「デバイスが空間コンピューティングや空間UXに向かっていくための第一歩」と考えていますので、VRとARを境目のないものとして捉えています。

*9
mixed realityの略。複合現実。ARに似ているが現実世界の物体もコンピューターが認識して一体感のある表示を行う。

若 林：現在の状況に目を向けると、これまでのテレビやラジオ、あるいは映画館でのコンテンツの視聴といった体

験は、どんどんスマホに集約されているわけですが、イアンさんは「スマホに集約されていく」という流れをどう捉えていますか。

イアン：どのような時間軸で見るかにもよりますが、スマホの登場がコンピューティングに与えた影響を、ここでは考えてみると良いかと思います。

　スマホが、単なる電話であることを超えてコンピューターとしての機能を高めたことにより、コンピューティングにアクセスできる人を爆発的に増やし、コンピューティングを身近にしましたよね。そう考えると、スマホはまだしばらくは主役であるでしょうし、スマホ以上に簡単にコンピューターへのアクセスを可能にする新しいデバイスが登場し、その技術が成熟し、明確なユースケースが出てくるまでにはもう少し時間が必要となりそうです。

　VRはゲームにおいて効果的に使われていますが、日常的に使われるには、ゲームやエンターテインメントの利用から脱却して、他の様々な体験ができるように進化させなければなりません。多様な可能性やユースケースを探求し、さらに人々がそれを学習する段階を経る必要がありますが、この「可能性を探求する段階」は非常に面白い段階でもあります。VRもARもまだこの段階に入ったばかりで、今後の推移は非常に興味深いものですが、当面はスマホの優位は動かないのではないかと思います。

■パンデミックがInstagramとゲームにもたらしたもの

若　林：**技術単体としてどのようなものが出てくるかという進化予測は、おそらくある程度出尽くしているように思いますが、一方で、社会がその技術をどのように使っていくのかというのはなかなか予測がつきません**し、常に誰も想定していなかったような使われ方や、他の技術との結びつきが生まれることもあります。特にこの1年はパンデミックがあってドラスチックなやり方で、それまでの日常が止まってしまったわけですが、この事態のなかで、人びとの新しい動き方やトレンドが、Instagram上で出てきているのでしょうか。

イアン：Instagramに限らず、広い意味でインターネットの使用は加速していますよね。eコマースは、その一つです。特に日本でのeコマース利用は、他の国と比べても、この1年で劇的に加速しました。あるいはビデオ会議もそうです。私の子どもや両親も使うようになりましたが、それを見れば、少なくとも5年分は飛躍的に進んだと言えるのではないでしょうか。このように、私たちとテクノロジーとの関係が劇的に近くなり、テクノロジーの導入が加速したことはとても興味深い傾向と言えます。

　Instagramではさまざまな動きが見られました。eコマース関連の利用が増えただけでなく、企業によるクリエーティブな利用もみられるようになったことは注目すべき点です。多くの企業がライブ配信を行い、小さなお店を持っているような人も最新の商品を紹介するためにInstagramのライブ機能を利用しています。たとえ顧客が来店できなくても、顧客とのつながりを保ち、商品をアピールすることができることで、多くのビジネスでライブ配信が行われるようになりました。

消費者側でも、エンターテインメントで様々な変化が起きています。家で過ごす時間が増えたことで、短い動画など、退屈を紛らわせるくれるものを人は探しています。エンターテインメントの需要は間違いなく変わってきていますし、Instagramもエンタメ性の高いコンテンツを提供する方向性にシフトしています。

若 林：水口さんはいかがでしょう？　パンデミックを受けてゲーム関連で注目しているトレンドや変化はありますか。

水 口：ゲーム関連企業の売り上げが伸びたとの報道がありますが、それは、デジタルコンテンツの制作者が健闘したおかげで、刺激的なエンターテインメントを提供し続けることができ、外に出られない環境でも人々の幸せを保つことができたからではないかと思っています。

特に、VRの「Oculus Quest」[*10]の伸びが米国ではすごかったですね。弊社では「テトリス エフェクト」というVRの共感覚ゲームをOculus Quest向けに販売していますが、これも米国を中心に、思った以上に売れました。売上を伸ばした要因として特徴的なのは、「従来のゲーマー以外からも反応があった」ことです。突然、ある中学校の先生からメールが来て、「テトリス エフェクトを子ども達に遊ばせたい」と言われ、ゲームをお送りしたこともありましたが、こうしたことは今までなかったことなんです。イアンさんが先ほど言っていた「ゲーム以外の可能性を探求する」という意味で、アイスブレークが少しずつ起こりはじめている気がします。

＊10
Facebook傘下のOculus VR製のVRヘッドセット。現行製品はOculus Quest 2。

若 林：「ゲームはゲーマーのもの」といった境界がなくなってきているということだと思いますが、ちなみに、その学校はテトリスを一体何に使いたくて連絡してきたんですか？

水 口：授業ができずに自宅にずっといる生徒のメンタルケアとして、学校がゲームを買って生徒に貸し出してあげるためらしいんです。「テトリス エフェクト」は単なるゲームではなく、音と映像による没入感がメンタルを鎮めるウェルビーイング的な効果を含んでいますので、ゲーム性とは異なる機能的な価値も、VRやゲームコンテンツの新しい価値として認められたのではないかと思っています。それだけの体験の深さを生み出すことができたのかな、と。VRデバイスを装着し、三次元の世界が広がり、その全体が音楽に合わせて動くことで、楽しい、面白いだけではなく、気持ちがいい、癒されるといった別の感情が働く。ゲームの体験から得られるものが広がってきた気がします。

■デジタル世界が現実世界を改変していく

若 林：続いて、Instagramのようなソーシャルメディアが持つ「双方向性」についてお伺いしたいと思います。双方向性とはつまり、発信者・受信者が常に入れ替え可能で、全員が発信者であり、全員が受信者であるということですが、これはソーシャルメディアができたときから言われているものの、近年その力をより増していると感じます。というのも、ソーシャルメディアというデジタル空間で発生したインタラクションが、現実世界を大きく動かす力になっている例が非常に多く目に付くからです。

例えば「Black Lives Matter」運動は以前からも存在していましたが、コロナ禍でソーシャルメディアが、その運動を非常にダイナミックなものへと変えていきました。一方で2021年に米国のドナルド・トランプ前大統領の支持者が大統領選挙の不正を訴えて起こした米議会への襲撃も、ソーシャルメディアによって情報が行き交う中で人々が動員されています。**現実世界をバーチャルな世界が改変していき、それがまたデジタルの世界に戻っては、また現実世界に改変にもたらされる**といったフィードバックループが加速し、**バーチャルコミュニティーといわれていたものが現実世界を変える大きなファクターになっているのを感じます。**イアンさんは、Instagramの中でそのような力を感じることはありますか。

イアン：おっしゃるとおりで、Instagramのようなプラットフォームは今の時代、非常に強力なツールです。Instagramは、自分自身や世界で起こっていること、自分が考えていることを表現する選択肢になっています。

表現を可能にすると同時に、若林さんがいうように現実世界への影響力も持ちます。特にオーディエンスを獲得するスピードが速いというのが注目すべき要素です。部屋にいて自分のアイデアを伝えたり才能を発揮したりするだけで、1日でオーディエンスを見つけることができますし、その連鎖をどんどん拡大していくことができる。これは、とてつもなくエキサイティングでパワフル、かつ怖いことでもあります。

しかし一般的に言えば、このようなツールを提供し人々が自分自身を表現できるようになることは良いことだと思っています。私たちの仕事は、より良いかたちで、そのツールをみなさんに使っていただけるよう安全な空間を作ることです。同じ興味や情熱、似たような人生経験を持つ人たちなどとつながることで、人生がより生きやすいものになったりします。であればこそ、誰もが表現しやすく仲間とつながりやすい環境をつくることで、バランスのとれた健全な社会を生み出すことに貢献できるはずです。

もちろん、それがもたらす問題もあります。ひと握りの人々や組織が大衆に向けて発信していた時代から、大衆が大衆に向けて発信できる時代へと急速に変化しましたが、この変化のなかで、社会として何が許容されるべきもので、何が許容されないべきかといった規範は、まだ見出されておらず、社会全体として、それをようやく模索し始めたような段階です。個人に対してどのような保護が必要なのか、政府とプラットフォームの関係はどうあるべきなのかなど、議論が本格化し始めたばかりで、今はまだ、この状況を理解し把握している実験的な段階だと言えるのではないかと思います。

若 林：今までのソーシャルメディアは、「面白いミュージシャンを見つけた」「すごいプレーヤーがいる」といった発信をする程度でしたが、それが今変わりつつあるのではないかと思います。「Twitch」では2020年、アレクサンドリア・オカシオ＝コルテスさん*11自らがゲームをプレーしながらオンライン実況し、大統領選への投票を促すという取り組みで話題になりました。

Instagramですと、2020年「Black Lives Matter」運動のなかで、真っ黒のタイル画像を投稿することで、運動に賛同する意思を表明する現象が起きました。人々の興味が社会的・政治的なアクティビズムにつながっていくことがめざましく起きたような気がしています。そういう動きは前からあったのかもしれませんが、単なるエンターテインメントとして楽しむだけではなくて、社会的なツールになってきているように感じますが、イアンさん、いかがでしょう？

*11
米国の下院議員、民主党所属。若い世代に人気がある。

イアン：それはスマホが私たちの生活やコミュニケーションの一部として、多くを占めるようになっているからではないでしょうか。私たちのデバイスにはたくさんの情報が入って来て、楽しむ方法、情報を見つける方法、身近な人たちと連絡を取る方法など、すべてがつながっていますから、あらゆるコンテンツやコミュニケーションが、それぞれの人の具体的な生活につながっていくようになっているのだと思います。

アレクサンドリア・オカシオ＝コルテスさんの例は、そのなかでも興味深いものです。彼女はデジタルテクノロジーに非常に精通していて、たとえば議会が終わったあとに、「今日はこんなことをしました」とライブ配信をすることもあります。歴史上、このようなことは一度もなかったものですから、彼女の行動は非常に大きな影響力を持っています。また、彼女は政治家とは異なる自分の顔をライブストリーミングやゲームを通じて特定の視聴者とつながることで、新しいエンターテインメントのかたちを生み出してもいます。エンターテインメントとは、私の世代にとっては野球の試合を見るようなことでしたが、私の子どもたちはこうした発信を楽しんでいますから、子供たちにとってはこちらの方がよほどエンターテインメントとして面白いんですね。彼女はこのように、様々な領域をスムーズに横断し、ひとつの領域から別の領域に移って

も違和感なく振る舞える点が面白いんですね。

若林：水口さんはこのトピックについてはどう思いますか。より社会性が強まっているという意味では、ゲーム業界も、単にエンターテインメントとして楽しませるだけではなく、気候変動やSDGs、ダイバーシティといった問題に対して、かなり意識的になっているようにも感じます。

水口：ゲームで表現できる解像度が上がって、ネットが普及したこともあると思いますが、確かにこの10年くらいは特に気候変動といった世界の大きな問題に対して、**ゲームを通じて解決方法を提示できないかと考えて行動している人たちは増えました。**それはまだ予兆なのかもしれないが、これは非常に特徴的で面白い現象だと思います。

　ゲームプレーする人とそれを見る人という新しい関係性が定着して、ひとりでただ遊ぶだけではなく、それを配信したり観戦したりするためのTwitchや、それを広めるためのTwitterといったSNSなどが、ゲームの周りに複合的にネットワークがつながっています。ゲームをめぐって、プレーヤーと視聴者の間に、非常にオーガニックな関係性が作られていまして、これらは将来、どんどん融合していくことになるんでしょうね。客観的に見ていたはずの画面の中の世界に、スイッチ一つでプレーヤーとして参加できてしまうような、観客なのかプレーヤーなのかをひとつのスイッチングで自由に切り替えられるような未来の予兆が既に現れています。「Google Stadia」*12のようにYouTubeの画像からゲームの中に入っていくような感覚ですね。これは、ひと昔前ではSFの世界の話でしたが、既に現実化し初めています。

*12
Googleが開発していたゲームプラットフォーム。YouTubeでゲーム動画を見て、動画内の「プレー」ボタンを押すと、すぐにゲームのプレーに移れる、といった機能がある。

イアン：ゲームには、ゲームそのものだけでなくその外側に「メタゲーム」*13という領域がありますが、今、その両者の境界がどんどん曖昧になってきています。特定のプレーヤーが固定で行うゲームだけでなく、多くのゲーマーが同じゲームをプレーすることもありますが、こうした複数のゲーマーが共同参加する体験にはそれぞれユニークさがあり、ゲーマーが自分の個性に合わせて作りあげた固有のコミュニティーとなっています。

　このようなコミュニティーが成立するのが、まさにInstagramのような場所です。例えばインフルエンサーであるゲーマーがファンとより親密な関係を築いています。Twitch上では、彼ら・彼女らのプレーをみることができますが、Instagramでは彼ら・彼女らの別の側面を見ることができます。私の世代で、自分が好きな芸能人が週に一度だけテレビ番組に出ているのを見ていましたが、現在のファンやコミュニティメンバーは、はるかに深い関係を築くことができます。そして、さらに面白いのは視聴者から参加者へと立場を自在に変化していくことができることです。ただチャットに登場して彼らとコミュニケーションすることもあれば、実際にファンと一緒に同じゲームをプレーすることさえできるわけですから。

*13
ゲーム外の情報を使ってゲームに臨むこと。

■デジタルコミュニティーにおけるリアルタイム性

若 林：そうしたデジタルコミュニティーでは、それが参加型であるという特性から、「リアルタイム」であることの価値が改めて発見されているとも感じます。Instagramでもライブ配信が拡張されていっていますが、ライブ配信の持つ意味合いや価値について、今感じていることがあれば聞かせてください。

イアン：リアルタイムでの体験は何よりも濃い体験ではありますが、人によって別の予定が入っていたり、世界的に見れば異なるタイムゾーンにいて生活時間帯が合わなかったりもしますので、実際リアルタイムでライブ配信を見る人数はやはり限られてしまいます。けれども、そのハードルがあればこそ、そこに集まるオーディエンスは熱心でコミットメントの深い人たちともなりますので、そこで起きる交流は、非常に豊かなものとなっています。大勢のオーディエンスを持つ人々が、その影響力があってもなお、少数の熱烈なファンやオーディエンスに向けてライブ配信をしたがっているのを見ると、そこに強い可能性が感じられます。そして多くの場合ライブ配信はアーカイブされ、すぐにオンデマンドで視聴できるようになるので、コンテンツとしても流動性もあります。

その際、プラットフォームとして重要なのは、何よりもクリエーターとオーディエンスのそうした関係を豊かにする手助けをすることです。**その関係はライブをしている瞬間だけではなく、常時継続していて、い**

まこの瞬間にも発展し続けています。

若 林：水口さんはこうしたライブの意味性について、お考えはありますか。

水 口：人間の根本的な欲求として、やはりライブに向かっていくんじゃないでしょうか。インスタライブでピアノを家で弾いて、視聴者のメッセージを見ながら会話することと、あるゲーム空間を共有しつつ、声で会話しながらインタラクティブに絡んでいくことは、同一線上にありますし、これらは「共鳴したい・共感したい」人間としてのコミュニケーションの根本的な本能や欲求だと思っています。

　また、自分というアイデンティティーを保ちながら入っていく世界と、アイデンティティーを消してアバターとして違う自分が存在している世界の両方があることで、人間が幸せを感じることができる幅が広がるとも感じます。かつてアナログの世界で行われてきた行動や慣習が、現在はデジタル世界で自由にできたりもしますよね。パンデミックが長く続く辛い状況ではありますが、新しい選択肢を駆使して自分たちが幸せでいる状況を、みんながキープしているように感じています。

■デジタルコミュニティーの倫理

若 林：私の友人が「Twitterは一種の互助会のようなもの」と言っていまして、価値観の近い人たちが、会ったこともないけどつながっていて、「夜眠れない」とつぶやけば「どうした？」と返ってくるといったかたちで、互いにケアすることができるところがソーシャルメディアのいいところだ、と言っていました。

一方でそうしたつながりが人の欲望を変に刺激して、ネガティブな感情を肥大化させてしまったり、いわゆるフィルターバブル*14の問題のように社会全体のパースペクティブをソーシャルメディアが失わせていたりするといった指摘があります。イアンさんはプラットフォーマーとして、こうしたネガティブな部分を抑制するための方法などを研究していると思いますが、ソーシャルメディアの良いところと悪いところのバランスをどのように考えていますか。

*14
ソーシャルメディアや検索サイトによって得られる情報が、ユーザーごとに最適化された結果、特定の見たいものだけになっていくこと。泡に包まれたようなことから「バブル」という。

イアン：どんなテクノロジーでも良い面と悪い面があります。とはいえ、時が経つにつれ、文化が成熟し、規範が生まれ、プラットフォームも進化して、健全なコミュニティーが作られていくのだとは思います。Instagramでも、自分を守り、安心して楽しみながらも、適切な行動を促すツールを提供する実験を行ってきました。例えば、炎上するようなコメントや批判的なコメントを投稿しようとする利用者に対し、再考する時間を与える機能がありますが、これは適切な行動を促すために一定の成果を上げています。

　特定のアカウントを単にブロックするだけではなく、相手が自分に対して関わる際の権限を制限することもできます。この機能は、強制的に相手をブロックするのではなく、「コメントはできるけれど、自分の投稿において他のユーザーからは見えない」というものです。なぜならこれまでの経験から、「ブロックする」という非常にシンプルでわかりやすい解決策でも、利用者がどのように反応するかを十分に考慮していない場合があることを学んだからです。つまり、もしも私があなたをブロックし、あなたがそれを知れば、あなたは怒って行動を悪化させるかもしれない。私たちはそのような点も考慮してツールを進化させ、別の選択肢を提供するようにしています。

　こうしたことは、すべてのプラットフォームにとって重要な課題です。他のプラットフォームでも、**オンライン上で人々の安全を守るにはどうしたらよいか、個人を守るために提供できるツールは何か、人々を守るために導入すべき規範は何か、といったことをより積極**

的に理解しようとしています。これはプラットフォームの成長に合わせて重要になると同時に、実際既に多くのソーシャルプラットフォームが真剣かつ積極的に取り組んでいることです。これは、新しい技術が貢献しうる素晴らしい領域でもありますし、ユーザーの行動観察を通じたインサイトから誰もがオンラインでより安全に過ごせる環境をつくり出していくことは、個人的にもやりがいのある仕事です。

若 林：この点についてゲームはどうでしょうか。昔から「ゲームは頭を悪くする」などと言われてきて、業界は長らくそうした批判とも戦ってきたと思います。いまでこそゲームのポジティブな部分が認識されるようにもなりましたが、一方で、ソーシャルゲームがもたらす「廃人化」もずいぶん前から指摘されています。あるいはオンラインゲームが存在感を増しているなか、Twitchでもハラスメントやいわゆる「荒らし」の問題が指摘されるようになってきていますが、ゲームを作る側もこうした問題をいかにコントロールするかを考える責任が生まれているのでしょうか。

水 口：以前から血の表現や暴力的な表現、年齢制限も含めて、倫理的な問題はずっとありました。そこに新しい問題として、ゲームにおけるコミュニティーというのが比較的最近出てきましたが、ゲーム上において「倫理的な配慮をすること」と、「プレーヤー同士の安全を守ること」の二つは、オンライン上で、人々の安全を守るツールや規範を積極的に考えるという点では基本同じことですよね。

現在は、ゲーム内のコミュニケーションは同じ言語を話している人たちの中で行われていることが多いですが、今後自動翻訳の発展や、非言語でコミュニケーションが可能となれば、ゲーム内でのコミュニティーも言語を超えていくことが予想されますので、人々の安全を守るためのツールとしてまた違う方法を取り入れなければならない段階がくるだろうと思っています。

イアンさんの話を聞いて面白いと感じるのは、世界と日本では起こっていることが微妙に違うということです。実はこの「微妙な違い」を理解するのは、お互いがつながるために非常に大事なことです。例えばイデオロギーや政治の話は、当然国によってはセンシティブな問題になりますし、このような違いによる摩擦はソーシャルメディアであってもゲームであっても、今後取り組むべき課題として出てくると思っています。

■ソーシャルメディアにおける日本の特徴

若 林：言語の壁、翻訳という点については、例えばK-POPでは、VLIVEという動画サービスでユーザーが字幕を付けられる機能がありますし、自動翻訳用のツールも発展しつつあります。言語間のハードルをいかにプラットフォームの中で下げていくかということは、各プラットフォームが取り組んでいる最中だとは思いますが、そうやって言語を超えていく中で、それぞれのコミュニティーのなかでどういった規範が生み出されて、どのようにその空間がガバナンスされていくようになるのかは、興味深いところですね。とりわけK-POPのファンの中での規範のつくられ方は、独特で興味深い事例と言えそうです。

また、水口さんがおっしゃった文化間にある「微妙な違い」というのも興味深い点です。最後に、イアンさんに、アメリカをはじめとする世界と比べて、日本はなにが違うのか、お聞かせいただけたらと思います。

イアン：他の国でみられる傾向やユースケースが、日本では他国以上に浸透していたり深く適用されたりすることが多いと感じています。例えば日本では、自分のアイデンティティーにつながる個人的な趣味や、そこにかける情熱が非常に重視されます。日本の文化では、あるものに興味を持つと深く追求して専門家になろうとする一方で、たとえ親しい間柄の人にも自分がその領域に興味があることを隠そうとする傾向があります。自分がだれのファンなのか、どんなアイドルにハマっているのか、必ずしもみんなに知られたくないわけです。

これは興味深い傾向で、他国の人々や文化でももちろん匿名性を重視することはありますが、日本では、その理由がおそらく異なっています。日本の人々は趣味に関連するコミュニティーを見つける目的で、Instagramを意図的に使っていて、特徴的なキーワードでの検索など、他国の利用者がやらない方法で自分が求めているコンテンツを見つけています。こうした特性を踏まえ、私たちは日本の利用者が取りたい行動を取りやすくする機能を開発することに注力してきました。

また、今後の動きとして、eコマース分野への投資や、短尺動画を作成・発見できる「リール」という機能を強化しています。これはグローバルで行っていることでもありますが、日本でどう受け入れられるかに注目しています。さらに日本のクリエーターのエコシステムには独特の動向があるので、それらをリサーチし、得られた知見を本社にフィードバックしています。

若 林：コミュニティーの面白さは開かれたものであるべきなんでしょうけれど、確かに内輪的だから参加していて楽しいというのはありますね。「これは自分たちだけが知っているんだ」みたいな。

イアン：日本には昔からそういうところがあるように感じます。人とのつながりが何かに興味を持つきっかけとなり、そのコネクションを通じて情報を得るという文化的な傾向を、リサーチなどを通して実感しました。自分が興味を持っていることを深掘りするためには他の人との深いつながりが必要で、希少な情報は簡単に手に入りませんので、自分が興味を持っていることについての最新情報を得るためには、オフラインのソーシャルネットワークが必要になることがあります。特別なことは秘密になりやすいというのが、日本のユニークなところです。

セッションの見どころ

最近ビジネスでもコミュニティーの重要性は語られますが、この3人が話す「デジタルコミュニティー」はビジネスにおけるコミュニティー活用というよりも、「捉えるべき社会や日常の変化」として語られ、日本やアメリカで起きているような事象も踏まえて展開されます。3人の興味は、発信する側と受信する側、ゲームを遊ぶ側とそれを見る側、自分とアバター、さらに接続オンの状態が常態化したり、言語の壁を超え始めたり、様々な境界がどんどんあいまいになって溶け合っている現状に向けられます。このような変化はまだまだ途上にあり、ルールや文化が未整備な一方で、プラットフォームが何を考えていけばよいのかは現在進行形で思考や議論、実践がされており、テクノロジーを駆使しつつ倫理的で安全かつ面白い場にするために、日々努力がされていることが、対談の中からも読み取れます。

■ゲームやエンタメが切り拓く社会の可能性

実際、ゲームを遊んでいるところをライブ配信してお金儲けする人もどんどん増えていますし、フォートナイトのように、ゲームの中がミュージシャンのライブ会場になり、ゲーム世界の中で友達と一緒にライブを楽しむような事も起こっています。コロナ禍でライブができないアーティストに対して、こうした取り組みは新たな表現形態となり、1つの活路になっている事も事実です。たかがゲームと言われていたような時代から、ゲーム空間が最先端の自己表現の場になり、最もクールなことの1つと見なされつつあるようなことが起きています。他にも、社会課題をゲームによって解決しようという人々が増えてきているそうです。水口さんのVRゲーム「テトリス エフェクト」も、コロナ禍の米国で、学校から一括で納入して生徒に届けたいという打診があったそうで、ステイホームで鬱屈としてしまう学生たちに対して、ヒーリング目的で活用されるということも起きているようです。

ゲーム単体ではそのようになることはなかったでしょうが、YouTubeやTwitchなどで配信したり、SNSと連動させてファンを作ったり、様々なプラットフォーマーがその可能性を広げた結果、できることが変わり、人々が深くつながり、その人たちが活動を起こして様々なムーブメントにつながっています。アカッシュさんの話にもあったように、さらにここにメタバースやNFTが絡んできます。

ゲーム以外にも様々な例があり、K-POPはアメリカのビルボードチャートで1位を奪取するほどに世界を席巻していますが、これも単純に楽曲やパフォーマンスだけの理由ではなく、ファンが発信者として活躍しているからであると言われることがあります。ファンが勝手にテレビ番組や公式動画に字幕を付けていたり、アーティストの新しいミュージックビデオが公開されたときに、そのビデオを見てリアクションしているだけの一般人発信の動画が大量にアップされていたり、ファンがダンスを練習して動画をアップしやすくするようにアーティスト本人たちがダンスだけをノーカットで撮影した動画があったりなど、発信者と受信者の境界を溶かすような仕掛けが多様に織り込まれた文化が生まれています。この一つ一つがK-POPを作っている側からも意識されてそういう行動が促進されている様相があります（一方でParler＊15のような、トランプ政権下で起きたコミュニティー化など、必ずしも良い方向でのみ活用される

＊15
米国のSNSで極右に人気があり、トランプ前米国大統領の支持者による米国連邦議会議事堂の襲撃事件の謀議に使われていた。

わけでない、という状況がありますが……)。

イアンさんは、このようにコミュニティーの力がどんどん大きくなる状況を踏まえ、炎上リスクを下げたり、非道徳的な活動が起こったりしないようにするために、InstagramのUXアーキテクチャーを常に調整していると言います。これは今回含めていない別のセッションで、TencentのエンヤさんとTHE GUILDの深津さんが議論していた、「どのような体験を増やし、どのような体験を減らすのか」という考え方と重なります。複雑性が高まり、個の力が強まる世の中で体験設計も、その中での品質管理も、高いUX企画力が求められていることがよく分かります。

あとがき

歴史を見ると、日本という国がそこまで全体の統率が強くなく、侵略の脅威にさらされることもなく、海外の知見を貪欲に吸収しながら独自進化してきたことがよく分かります。産業革命も戦後の高度経済成長も同様に、海外から学び、それを独自進化させた結果、世界トップレベルに躍り出ましたが、当初は完全に出遅れていました。昨今のDXの状況を見ると、そういった歴史と同じ流れをたどっているようにも感じます。

世の中の変化を見ると、海外との彼我の差を感じ、打ちひしがれて止まってしまうこともあると思うのですが、変化がとにかく速い現在、自身をアップデートし続け、社会の状況に合わせることはことさら重要になっていると感じています。例えば本書にも出てきたメタバースやアバタープラットフォームのような感覚は、30代後半の私でも相当頑張って実践していかないと全然付いていけなくなります。

一方で、このようにキャッチアップを続け、世界標準の進化に身を置く感覚になると、インプットも楽しくなりますし、ユーザーや消費者としての感覚がつかめたり、テクノロジーでできることが把握できたりと、ビジネスで実践するにおいても近道になることがたくさんあります。今はどんどんBtoBとBtoC、社会人と個人の垣根が曖昧になり、たとえB向けのビジネスであっても、Cとして認知したりファンになったりすることが当たり前になりつつあります、企業人ではなく個人のビジネスパーソンとして発信する人も増えています。こうした状況を考えると、引き続き世界標準の進化を体感できたり、身近に感じられたりする場は、とても意義深いものなのではないかと考えますし、ビービットという所属企業の観点だけでなく、私個人としても、このL&UXというオンラインフェスを行い、さらにそれを書籍化するという作業は、意味のあるものだと捉えています。

同時発売した「UXグロースモデル」は、こうしたキャッチアップから得られた、実践のための方法論です。さらなるキャッチアップと実践方法論化のためにも、L&UXは2022年の実施も予定しています。また、毎週発信しているニュースレター（https://afterdigital.bebit.co.jp/basic/article/newsletter）には、そこでしか読めない書きおろし記事も掲載しています。そちらも購読していただけたらうれしく思います。

2021年8月25日
株式会社ビービット　藤井保文

監修プロフィール

藤井 保文（ふじい　やすふみ）

株式会社ビービット執行役員 CCO 兼 東アジア営業責任者
一般社団法人 UX インテリジェンス協会 事務局長

東京大学大学院 情報学環・学際情報学府修士課程修了。ビービットの東アジア営業責任者として、上海・台北・東京を拠点に活動。海外アーティストのミュージックビデオ制作にも携わる。国内外の UX 思想を探究すると同時に、実践者として企業の経営者や政府へのアドバイザリーに取り組む。政府の有識者会議、FIN/SUM、G1 経営者会議など「アフターデジタル」に関する講演多数。上海・台北での研究成果として、2018 年に『平安保険グループの衝撃 - 顧客志向 NPS 経営のベストプラクティス』を監修。これまでの研究を日本企業向けにまとめた著作『アフターデジタル』シリーズは世耕弘成元経済産業大臣、Z ホールディングス Co-CEO 川邊健太郎氏、サントリーホールディングス代表取締役社長 新浪剛史氏ら、各界著名人から推薦を頂き、累計 17 万部を突破（2021 年 8 月現在）。アドバイザリーでは小売、金融、メーカー、インフラ等の様々な企業において、UX/DX から経営やビジネスモデル、顧客価値を抜本的に変革する取り組みに関わる。AI（人工知能）やスマートシティ、メディアや文化の専門家とも意見を交わし、新しい人と社会の在り方を模索し続けている。AFTER DIGITAL Inspiration では編集長として最新の UX 型 DX の情報を日々発信中。

AFTER DIGITAL Inspiration Letter
https://afterdigital.bebit.co.jp/basic/article/newsletter

UX 型 DX の最新事例、方法論、イベント情報の他
藤井保文の限定書下ろしコンテンツを毎週配信